Lidia Przybylo
Sylwester Przybylo

POUR RÉUSSIR

MATH 103

CALCUL DIFFÉRENTIEL ET INTÉGRAL I

Collégial

L'essentiel de la matière sous forme de questions et de réponses

TRÉCARRÉ

Données de catalogage avant publication (Canada)

Przybylo, Lidia

Math 103 : calcul différentiel et intégral I
(Pour réussir)

ISBN 2-89249—601-2

1. Calcul différentiel – Problèmes et exercices. 2. Calcul intégral – Problèmes et exercices. I. Przybylo, Sylwester. II. Titre. III. Titre : Math cent trois. IV. Collection.

QA305.P79 1996 515'.33'076 C96-940340-2

Éditions du Trécarré
817, rue McCaffrey
Saint-Laurent (Québec)
H4T 1N3

ISBN 2-89249-601-2

Mise en page et typographie : Les services d'édition André Riendeau
Révision pédagogique : Rodin Lemerise

Dépot légal – 1996
Bibliothèque nationale du Québec

TABLE DES MATIÈRES

CHAPITRE

Limite et continuité

Vous devez savoir:

- définir intuitivement la limite d'une fonction d'une variable;
- calculer la limite d'une fonction algébrique;
- étudier le comportement d'une fonction autour de points de discontinuité et à l'infini;
- établir la relation entre les limites et les asymptotes;
- analyser la continuité d'une fonction d'une variable.

1 LIMITE D'UNE FONCTION

- **DÉFINITION INTUITIVE DE LA LIMITE:** On dit intuitivement que L est la limite de la fonction f lorsque x tend vers a si les valeurs $f(x)$ s'approche de L lorsqu'on donne à x des valeurs à gauche et à droite de a de plus en plus proches de a mais différentes de a.
  Symboliquement: $\lim\limits_{x \to a} f(x) = L$
- Géométriquement, l'écriture $\lim\limits_{x \to a} f(x) = L$ signifie que les ordonnées des points $(x, f(x))$ tendent vers L lorsque les abscisses x tendent vers a (figure 1).

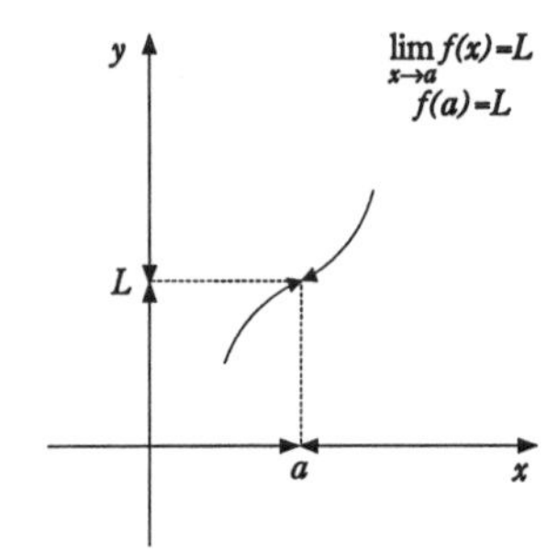

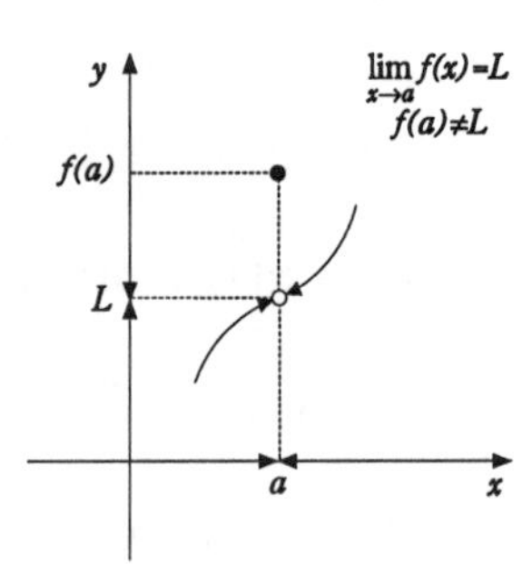

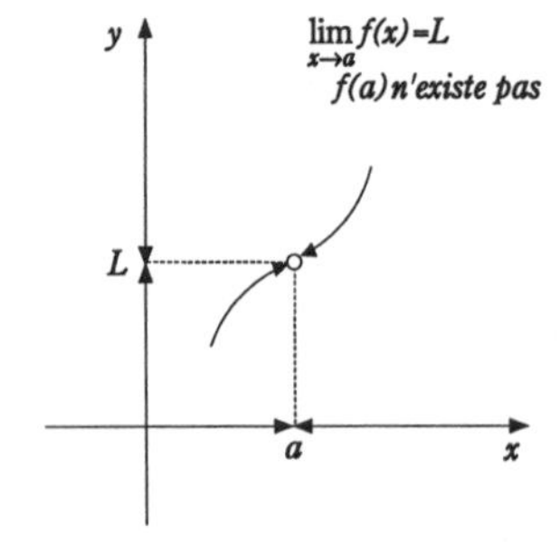

FIGURE 1

- Lorsque x tend vers a, il arrive que les valeurs $f(x)$ ne tendent vers aucun nombre. Dans ce cas, on dit que la limite de la fonction f n'existe pas lorsque x tend vers a (figure 2).

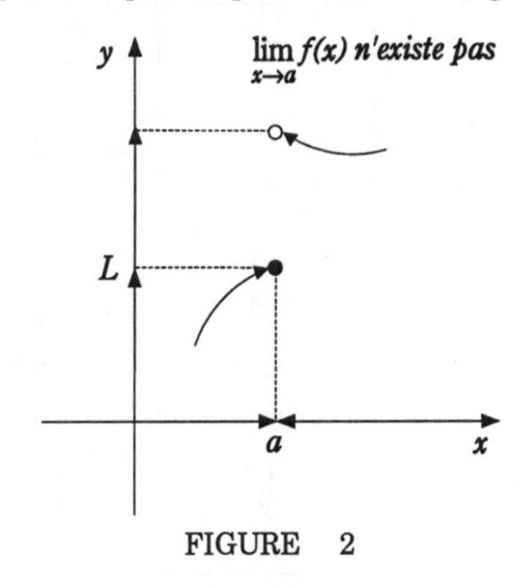

FIGURE 2

Exercices

1. Soit la fonction f définie par

$$f(x) = \frac{x^2 - 4}{x^2 + 2}$$

Trouver la limite de f lorsque x tend vers –2 en complétant le tableau de valeurs ci-dessous.

x	$f(x)$
–1.9	
–2.05	
–1.995	
–2.001 6	
–1.998 5	
–1.999 5	
–2.000 1	

SOLUTION

Remplissons le tableau de valeurs de la fonction f.

x	$f(x)$
–1.9	–0.069 5
–2.05	0.032 6
–1.995	–0.003 3
–2.001 6	0.001 1
–1.998 5	–0.001 0
–1.999 5	–0.000 3
–2.000 1	0.000 1
⇓	⇓
–2	0

On constate que les valeurs $f(x)$ tendent vers 0 lorsque x tend vers -2.

RÉPONSE : $\lim_{x \to -2} f(x) = 0$

2. Soit la fonction f définie par

$$f(x) = \frac{|x-2|}{x-2}$$

Montrer, en remplissant le tableau de valeurs ci-dessous, que la limite de cette fonction n'existe pas lorsque x tend vers 2.

x	$f(x)$
1.5	
2.4	
2.3	
1.8	
2.1	
2.05	
1.96	
1.99	
2.001	

SOLUTION ET RÉPONSE

Remplissons le tableau de valeurs.

x	$f(x)$
1.5	–1
2.4	+1
2.3	+1
1.8	–1
2.1	+1
2.05	+1
1.96	–1
1.99	–1
2.001	+1
$\Downarrow$	
2	

On constate que la limite de la fonction donnée n'existe pas lorsque x tend vers 2. En effet, pour les valeurs de x proches de 2, $f(x)$ est égal à +1 ou –1 selon que x est plus grand ou plus petit que 2. Donc, lorsque x tend vers 2, $f(x)$ ne tend vers aucune valeur unique et par conséquent la limite de la fonction donnée n'existe pas.

3. Considérer la courbe de la fonction *f* représentée à la figure 3.

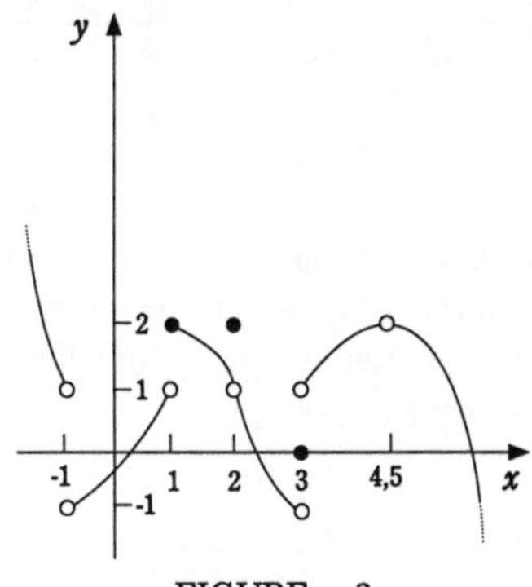

FIGURE 3

Compléter les énoncés suivants par « existe » ou « n'existe pas ».

a) $f(-1)$.... , $\lim_{x \to -1} f(x)$....

b) $f(1)$.... , $\lim_{x \to 1} f(x)$....

c) $f(2)$.... , $\lim_{x \to 2} f(x)$....

d) $f(3)$.... , $\lim_{x \to 3} f(x)$....

e) $f(4,5)$.... , $\lim_{x \to 4,5} f(x)$....

SOLUTION

Étudions sur le graphique de la fonction f l'existence de la limite de cette fonction lorsque x tend vers les valeurs données.

Faisons tendre x vers – 1 (figure 4).

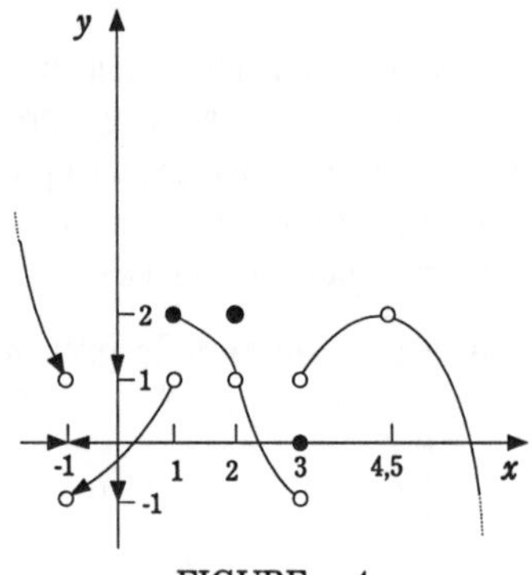

FIGURE 4

La limite de f n'existe pas lorsque x tend vers –1 parce que les ordonnées des points $(x, f(x))$ ne tendent pas vers une valeur unique. Pour la même raison, la limite de cette fonction n'existe pas lorsque x tend vers 1 ou lorsque x tend vers 3.

Faisons tendre x vers 2 (figure 5).

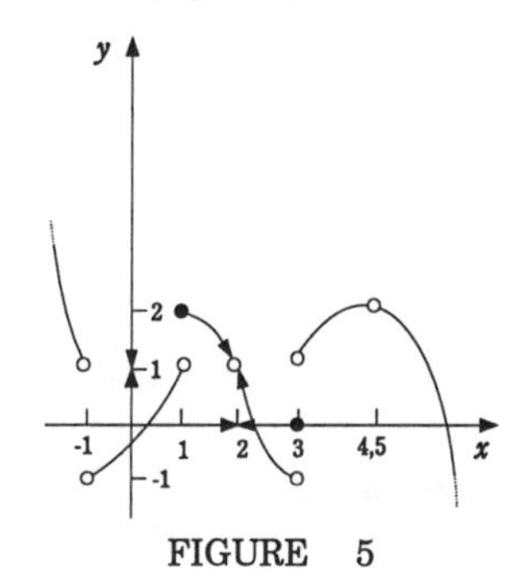

FIGURE 5

Les flèches sur l'axe des ordonnées se dirigent vers un seul point, d'ordonnée 1. Donc, la limite existe. Faisons tendre x vers 4,5. Alors, les ordonnées des points $(x, f(x))$ tendent vers une valeur unique, 2. Donc la limite existe.

RÉPONSES :

a) $f(-1)$ n'existe pas et $\lim_{x \to -1} f(x)$ n'existe pas.

b) $f(1)$ existe et $\lim_{x \to 1} f(x)$ n'existe pas.

c) $f(2)$ existe et $\lim_{x \to 2} f(x)$ existe.

d) $f(3)$ existe et $\lim_{x \to 3} f(x)$ n'existe pas.

e) $f(4{,}5)$ existe et $\lim_{x \to 4,5} f(x)$ existe.

4. Considérer le graphique de la fonction *f* représenté à la figure 6.

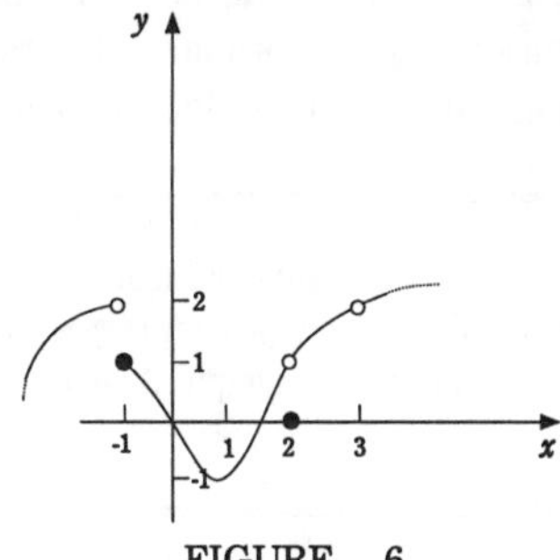

FIGURE 6

Évaluer $\lim_{x \to a} f(x)$ (si elle existe) pour

a) $a = -1$ *b*) $a = 0$

c) $a = 2$ *d*) $a = 3$

SOLUTION

a) La limite de la fonction f n'existe pas lorsque x tend vers -1 parce que les ordonnées des points $(x, f(x))$ ne tendent pas vers une valeur unique.

b) Faisons tendre x vers 0 (figure 7).

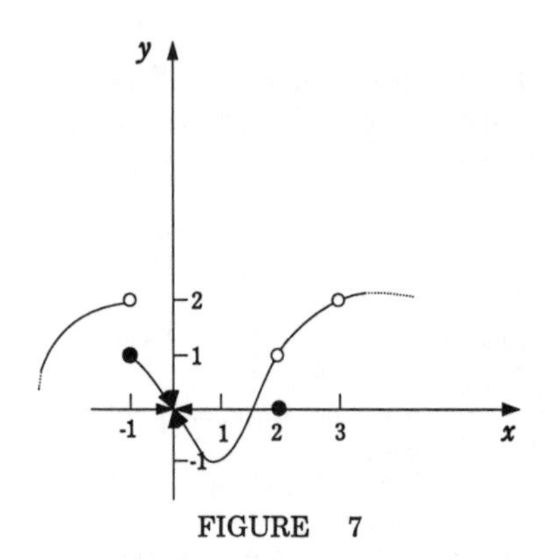

FIGURE 7

Les flèches sur l'axe des ordonnées se dirigent vers un seul point, d'ordonnée 0. Donc, la limite existe et vaut 0.

c) et *d*) Pour la même raison, la limite existe lorsque x tend vers 2 ou lorsque x tend vers 3. Les flèches sur l'axe des ordonnées se dirigent vers un seul point, d'ordonnée 1, lorsque x tend vers 2 et vers un seul point, d'ordonnée 2, lorsque x tend vers 3.

La valeur $f(a)$ n'a aucune influence sur la limite de f lorsque x tend vers a. Cette valeur peut être égale à la la limite (exemple *b*), différente de la limite (exemple *c*) ou ne pas exister (exemple *d*).

RÉPONSES :

a) $\lim\limits_{x \to -1} f(x)$ n'existe pas

b) $\lim\limits_{x \to 0} f(x) = 0$

c) $\lim\limits_{x \to 2} f(x) = 1$

d) $\lim\limits_{x \to 3} f(x) = 2$

5. Soit les fonctions représentées par les graphiques de la figure 8. Trouver celle(s) pour laquelle (lesquelles) le nombre L est la limite lorsque x tend vers a.

a)

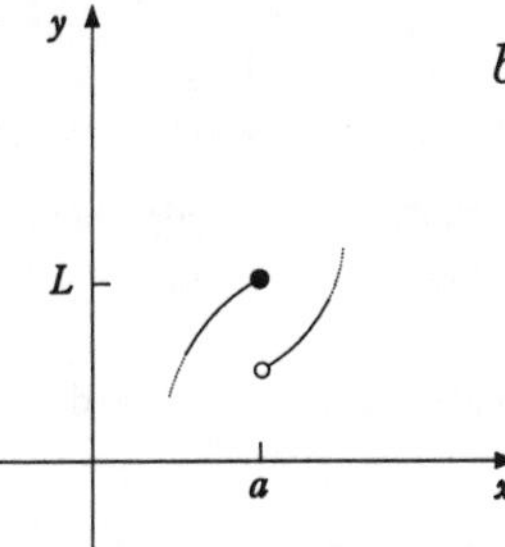

b)

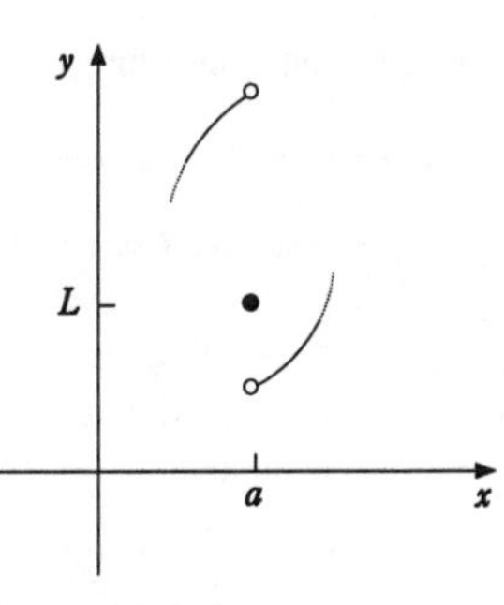

c)

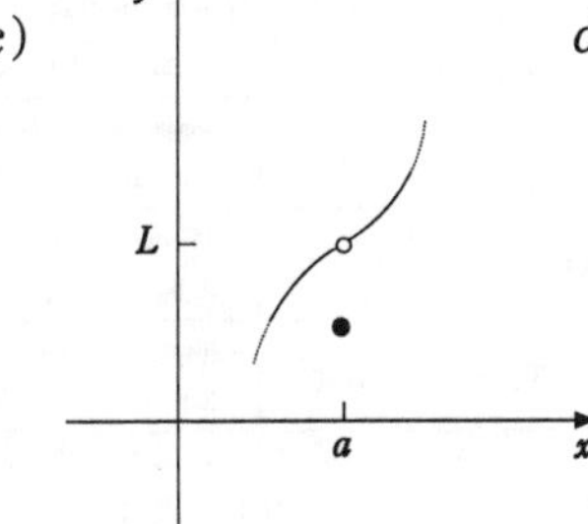

d)

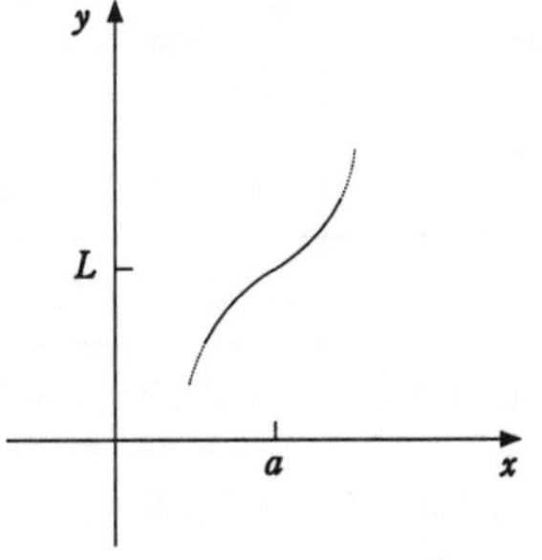

e)

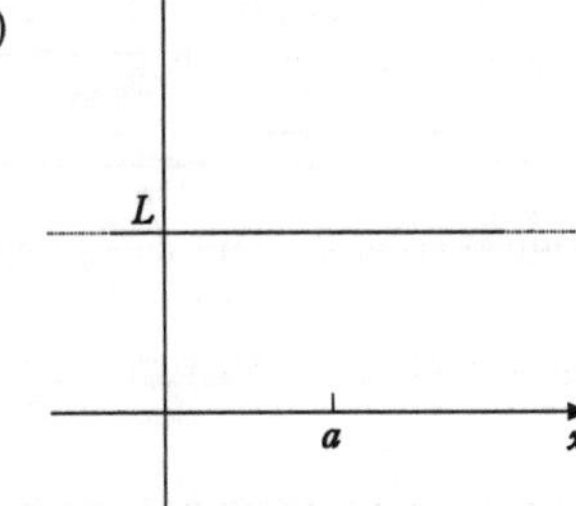

FIGURE 8

SOLUTION

Les graphiques des fonctions en a et b montrent que les limites respectives n'existent pas lorsque x tend vers a. Les fonctions représentées par les graphiques en c et d diffèrent en $x = a$, mais cela n'a aucune influence sur les limites respectives. La fonction représentée en e est une fonction constante. Donc, lorsque x tend vers a, l'image étant toujours L tend vers L.

RÉPONSE: Fonctions représentées en c, d et e.

- **DÉFINITION D'UN VOISINAGE**: On appelle voisinage d'un point a tout intervalle ouvert $]x_1, x_2[$ contenant ce point. On note ce voisinage $V(a)$.
- Les situations que l'on retrouvera par la suite sont données dans le tableau 1.

TABLEAU 1 – VOISINAGES

Voisinage	Notation	Expression algébrique	Représentation géométrique
de a	$V(a) =]x_1, x_2[$	$x_1 < x < x_2$	x_1 a x_2 x
troué de a	$V_0(a) =]x_1, x_2[\backslash\{a\}$	$x_1 < x < x_2$ et $x \neq a$	x_1 a x_2 x
à gauche de a	$V^-(a) =]x_1, a[$	$x_1 < x < a$	x_1 a x
à droite de a	$V^+(a) =]a, x_2[$	$a < x < x_2$	a x_2 x
symétrique de a	$V_\delta(a) =]a-\delta, a+\delta[$	$a-\delta < x < a+\delta$	$a-\delta$ a $a+\delta$ x
de $+\infty$	$V(+\infty) =]K, +\infty$	$K < x$	K x
de $-\infty$	$V(-\infty) = -\infty, L[$	$x < L$	L x

6. Soit la fonction *f* définie par

$$f(x) = \frac{3x + \sqrt{x^2 - 1}}{x + x^2 - 1}$$

Est-ce que la limite de *f* existe lorsque x tend vers 0? Justifier la réponse.

SOLUTION

Puisque la racine d'indice pair est définie seulement pour les nombres non négatifs, nous considérerons seulement les valeurs de x qui tendent vers 0 à condition que

$x^2 - 1 \geq 0$,

ce qui équivaut à

$x \geq 1$ ou $x \leq -1$ (figure 9).

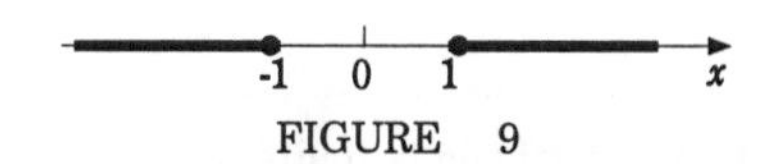

FIGURE 9

Il est donc impossible de faire tendre x vers 0.

On ne peut chercher la limite qu'en un point dont un voisinage, troué ou non, est inclus dans le domaine de la fonction.

RÉPONSE: La limite n'existe pas. La fonction n'est pas définie dans l'intervalle] –1, 1 [qui est un voisinage de 0.

- **DÉFINITION FORMELLE DE LA LIMITE:** Par définition $\lim_{x \to a} f(x) = L$ si pour chaque voisinage $V(L)$ du nombre L aussi petit que l'on veut on peut trouver un voisinage troué $V_0(a)$ du nombre a tel que si $x \in V_0(a)$ et $x \in$ Dom *f*, alors $f(x) \in V(L)$.

7. Trouver lequel des énoncés ci-dessous décrit correctement la limite de la fonction f lorsque x tend vers a.

a) S'il existe un intervalle $]L-\varepsilon, L+\varepsilon[$ aussi petit que l'on veut et s'il existe un intervalle $]a-\delta, a+\delta[$ tel que si $x \in]a-\delta, a+\delta[$ et $x \neq a$, alors $f(x) \in]L-\varepsilon, L+\varepsilon[$.

b) Si pour chaque intervalle $]a-\delta, a+\delta[$ on peut trouver un intervalle $]L-\varepsilon, L+\varepsilon[$ aussi petit que l'on veut tel que si $x \in]a-\delta, a+\delta[$ et $x \neq a$, alors $f(x) \in]L-\varepsilon, L+\varepsilon[$.

c) Si pour chaque intervalle $]L-\varepsilon, L+\varepsilon[$ aussi petit que l'on veut on peut trouver un intervalle $]a-\delta, a+\delta[$ tel que si $x \in]a-\delta, a+\delta[$ et $x \neq a$, alors $f(x) \in]L-\varepsilon, L+\varepsilon[$.

d) Si pour chaque intervalle $]L-\varepsilon, L+\varepsilon[$ et pour chaque intervalle $]a-\delta, a+\delta[$ on a si $x \in]a-\delta, a+\delta[$ et $x \neq a$, alors $f(x) \in]L-\varepsilon, L+\varepsilon[$.

SOLUTION

Dans la définition formelle de la limite, il est question de voisinage du nombre L et de voisinage troué du nombre a. On peut remplacer le voisinage $V(L)$ par l'intervalle $]L-\varepsilon, L+\varepsilon[$ et le voisinage troué $V_0(a)$ par l'intervalle $]a-\delta, a+\delta[\setminus \{a\}$. Alors la définition devient:

Si pour chaque intervalle $]L-\varepsilon, L+\varepsilon[$ aussi petit que l'on veut on peut trouver un intervalle $]a-\delta, a+\delta[$ tel que si $x \in]a-\delta, a+\delta[$ et $x \neq a$, alors $f(x) \in]L-\varepsilon, L+\varepsilon[$.

Dans la définition formelle de la limite, tous les intervalles doivent être ouverts.

RÉPONSE: c.

8. À partir de la définition formelle de la limite, démontrer que

a) $\lim_{x \to 3} (2x - 1) = 5$

b) $\lim_{x \to 1} \sqrt{x} = 1$

SOLUTION ET RÉPONSE

a) Soit $]\,5 - \varepsilon, 5 + \varepsilon\,[$ un voisinage de la limite $L = 5$.

On a

$2x - 1 \in\,]\,5 - \varepsilon, 5 + \varepsilon\,[$ si et seulement si

$5 - \varepsilon < 2x - 1 < 5 + \varepsilon$ si et seulement si

$$3 - \frac{\varepsilon}{2} < x < 3 + \frac{\varepsilon}{2}$$

Cette dernière inéquation définit l'intervalle $]\,3 - \frac{\varepsilon}{2}, 3 + \frac{\varepsilon}{2}\,[$.

Donc, pour l'intervalle $]\,5 - \varepsilon, 5 + \varepsilon\,[$ on a trouvé l'intervalle $]\,3 - \frac{\varepsilon}{2}, 3 + \frac{\varepsilon}{2}\,[$ tel que si $x \in\,]\,3 - \frac{\varepsilon}{2}, 3 + \frac{\varepsilon}{2}\,[$ et $x \neq 3$, alors $f(x) = 2x - 1 \in\,]\,5 - \varepsilon, 5 + \varepsilon\,[$.

b) Soit $]1 - \varepsilon, 1 + \varepsilon\,[$ un voisinage de la limite $L = 1$.

On a

$\sqrt{x} \in\,]\,1 - \varepsilon, 1 + \varepsilon\,[$ si et seulement si

$1 - \varepsilon < \sqrt{x} < 1 + \varepsilon$ si et seulement si

$-\varepsilon < \sqrt{x} - 1 < \varepsilon$ si et seulement si

$|\sqrt{x} - 1| < \varepsilon$.

On a aussi

$$\sqrt{x} - 1 = (\sqrt{x} - 1)\frac{\sqrt{x} + 1}{\sqrt{x} + 1} = \frac{x - 1}{\sqrt{x} + 1}$$

et

$$|\sqrt{x} - 1| = \left|\frac{x - 1}{\sqrt{x} + 1}\right| \leq |x - 1| \qquad \text{(parce que } \sqrt{x} + 1 \geq 1\text{)}$$

Donc, si $| x - 1 | < \varepsilon$, alors $| \sqrt{x} - 1 | < \varepsilon$, ou si $x \in]\, 1 - \varepsilon, 1 + \varepsilon\, [$ et $x \neq 1$, alors $\sqrt{x} \in]\, 1 - \varepsilon, 1 + \varepsilon\, [$. Cela signifie que 1 est la limite de $f(x) = \sqrt{x}$ lorsque x tend vers 1.

9. Sachant que

$$\lim_{x \to 0} \frac{1}{2x - 1} = -1$$

trouver le nombre δ correspondant au nombre ε = 0,000 5.

SOLUTION

$\lim\limits_{x \to 0} \dfrac{1}{2x - 1} = -1$ signifie que pour chaque voisinage de la limite $L = -1$, donc pour chaque intervalle $]\, -1 - \varepsilon, -1 + \varepsilon\, [$, on peut trouver un voisinage troué du nombre 0, donc un intervalle $]\, -\delta, \delta\, [\setminus \{ 0 \}$, tel que

si $x \in]\, -\delta, \delta\, [$ et $x \neq 0$, alors $\dfrac{1}{2x - 1} \in]\, -1 - \varepsilon, -1 + \varepsilon\, [$.

Pour $\varepsilon = 0{,}000\,5$,

$\dfrac{1}{2x - 1} \in]\, -1 - 0{,}000\,5, -1 + 0{,}000\,5\, [$ si et seulement si

$-1 - 0{,}000\,5 < \dfrac{1}{2x - 1} < -1 + 0{,}000\,5$ si et seulement si

$\dfrac{-1}{3\,998} < x < \dfrac{1}{4\,002}$

Cette dernière inéquation détermine l'intervalle $]\, \dfrac{-1}{3\,998}, \dfrac{1}{4\,002}\, [$

Ainsi pour $\varepsilon = 0{,}000\,5$ on a trouvé $\delta = \dfrac{1}{4\,002}$

Cet intervalle n'est pas symétrique par rapport au point $a = 0$.
Donc δ est égal à la plus petite des valeurs $\left|\dfrac{-1}{3\,998}\right|$ et $\dfrac{1}{4\,002}$.

RÉPONSE: $\delta = \dfrac{1}{4\,002}$

10. À partir de la définition formelle de la limite, démontrer que le nombre 5 n'est pas la limite de la fonction f définie par $f(x) = 2x + 1$ en $x = 1$.

SOLUTION ET RÉPONSE

Faire attention aux changements des quantificateurs dans la négation de formes propositionnelles quantifiées.

L'énoncé «la limite de la fonction f lorsque x tend vers a n'est pas égale à L» équivaut à l'énoncé «il existe un voisinage $V(L) =]\,L-\varepsilon, L+\varepsilon\,[$ tel que, pour n'importe quel voisinage troué $V_0(a) =]\,a-\delta, a+\delta\,[\,\backslash\{a\}$, il existe $x_0 \in \text{Dom}\,f$ tel que $x_0 \in V_0(a)$ et $f(x) \notin V(L)$».

Par exemple, le voisinage $V(5) =]\,5-1, 5+1\,[$ et $x_0 = 1{,}25$ remplissent la condition ci-dessus, comme le montre la figure 10.

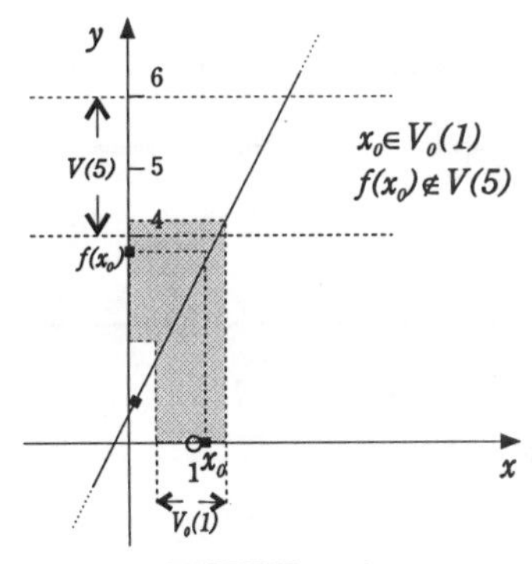

FIGURE 10

2 LIMITE À GAUCHE ET À DROITE

- **DÉFINITION INTUITIVE :** On dit que L est la limite à gauche (à droite) de la fonction f lorsque x tend vers a si les valeurs $f(x)$ tendent vers L lorsqu'on donne à x des valeurs à gauche (à droite) de a de plus en plus proches de a, mais différentes de a.
  Symboliquement, limite à gauche: $\lim\limits_{x \to a^-} f(x) = L$

  limite à droite: $\lim\limits_{x \to a^+} f(x) = L$

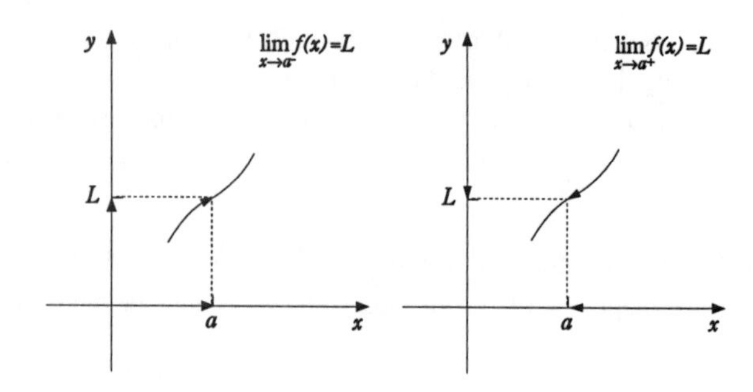

FIGURE 11

Exercices

11. Soit les fonctions définies par

a) $f(x) = \begin{cases} x - 2 & \text{si } x \leq 2 \\ x^2 - 4 & \text{si } x > 2 \end{cases}$

b) $f(x) = \begin{cases} x - 2 & \text{si } x \leq 2 \\ x^2 & \text{si } x > 2 \end{cases}$

Remplir les tableaux de valeurs ci-dessous

x	$f(x)$
1,9	
1,99	
1,995	
1,999	
1,999 5	

x	$f(x)$
2,1	
2,01	
2,005	
2,001	
2,000 5	

et évaluer les limites (si elles existent)

$\lim\limits_{x \to 2^-} f(x)$, $\lim\limits_{x \to 2^+} f(x)$, $\lim\limits_{x \to 2} f(x)$.

SOLUTION

a)

x	$f(x)$
1,9	−0,1
1,99	−0,01
1,995	−0,005
1,999	−0,001
1,999 5	−0,000 5
⇓	⇓
2^-	0

x	$f(x)$
2,1	0,41
2,01	0,040 1
2,005	0,020 025
2,001	0,004 001
2,000 5	0,002 000 25
⇓	⇓
2^+	0

D'après les tableaux de valeurs ci-dessus la limite de f existe et vaut 0 lorsque x tend vers 2.

b)

x	$f(x)$
1,9	−0,1
1,99	−0,01
1,995	−0,005
1,999	−0,001
1,999 5	−0,000 5
⇓	⇓
2^-	0

x	$f(x)$
2,1	4,41
2,01	4,040 1
2,005	4,020 025
2,001	4,004 001
2,000 5	4,002 000 25
⇓	⇓
2^+	4

D'après les tableaux de valeurs ci-dessus, $f(x)$ ne tend pas vers un nombre unique $(0 \neq 4)$ lorsque x tend vers 2.

RÉPONSES

a) $\lim\limits_{x \to 2^-} f(x) = 0$, $\lim\limits_{x \to 2^+} f(x) = 0$, $\lim\limits_{x \to 2} f(x) = 0$

b) $\lim\limits_{x \to 2^-} f(x) = 0$, $\lim\limits_{x \to 2^+} f(x) = 4$, $\lim\limits_{x \to 2} f(x)$ n'existe pas.

12. Pour chaque fonction représentée à la figure 12, remplir le tableau ci-dessous

$f(a)$	$\lim\limits_{x \to a^+} f(x)$	$\lim\limits_{x \to a^-} f(x)$	$\lim\limits_{x \to a} f(x)$

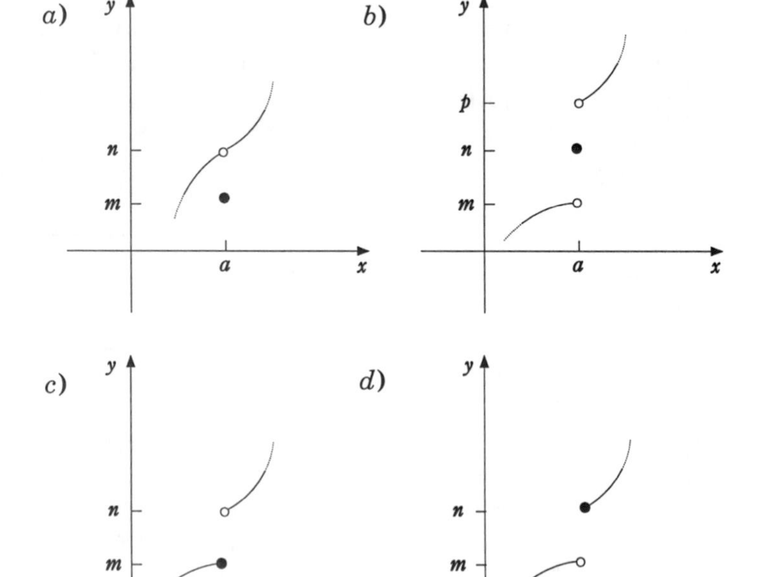

FIGURE 12

SOLUTION

On peut étudier géométriquement l'existence des limites des fonctions données. Par exemple, étudions géométriquement la fonction représentée en b, reprise à la figure 13.

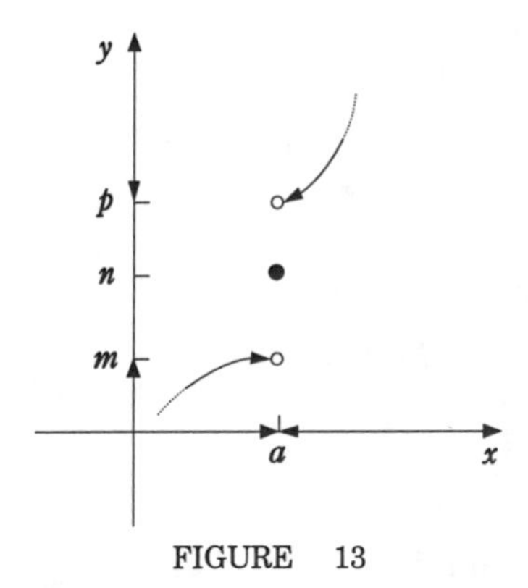

FIGURE 13

La limite de f lorsque x tend vers a à gauche vaut m parce que la flèche sur l'axe des ordonnées se dirige vers le point d'ordonnée m. La limite de f lorsque x tend vers a à droite vaut p parce que la flèche correspondante sur l'axe des ordonnées se dirige vers le point d'ordonnée p. Ces deux flèches ne se dirigent pas vers le même point sur l'axe des ordonnées. Donc, la limite n'existe pas lorsque x tend vers a.

RÉPONSES

f	$f(a)$	$\lim\limits_{x \to a^+} f(x)$	$\lim\limits_{x \to a^-} f(x)$	$\lim\limits_{x \to a} f(x)$
$a)$	m	n	n	n
$b)$	n	p	m	n'existe pas
$c)$	m	n	m	n'existe pas
$d)$	n	n	m	n'existe pas

13. Tracer les graphiques des fonctions définies ci-dessous et évaluer les limites indiquées.

a) $f(x) = [2x]$

$\lim_{x \to 0,5^-} f(x), \lim_{x \to 0,5^+} f(x)$

b) $f(x) = x - [x]$

$\lim_{x \to 0^-} f(x), \lim_{x \to 0^+} f(x), \lim_{x \to 1^-} f(x), \lim_{x \to 1^+} f(x)$

c) $f(x) = \dfrac{x}{|x|}$

$\lim_{x \to 0^-} f(x), \lim_{x \to 0^+} f(x)$

d) $f(x) = \dfrac{x^2 - 9}{|x + 3|}$

$\lim_{x \to -3^-} f(x), \lim_{x \to -3^+} f(x)$

SOLUTION

a) et *b)* Pour tracer le graphique de la fonction définie par $f(x) = [\,2x\,]$, il faut étudier cette fonction séparément dans les intervalles

$i \leq 2x < i + 1 \qquad \text{pour } i \in \mathbb{Z}.$

Pour tracer le graphique de la fonction définie par $f(x) = x - [\,x\,]$ il faut étudier cette fonction séparément dans les intervalles

$i \leq x < i + 1 \qquad \text{pour } i \in \mathbb{Z}.$

c) et *d)* Pour tracer le graphique de la fonction dont la formule contient une valeur absolue, il faut toujours transformer cette formule et définir la fonction par branches.

Donc, $f(x) = \dfrac{x}{|\,x\,|} = \begin{cases} -1 & \text{si } x < 0 \\ 1 & \text{si } x > 0 \end{cases}$

De même $f(x) = \dfrac{x^2 - 9}{|\,x + 3\,|} = \begin{cases} 3 - x & \text{si } x < -3 \\ x - 3 & \text{si } x > -3 \end{cases}$

RÉPONSES

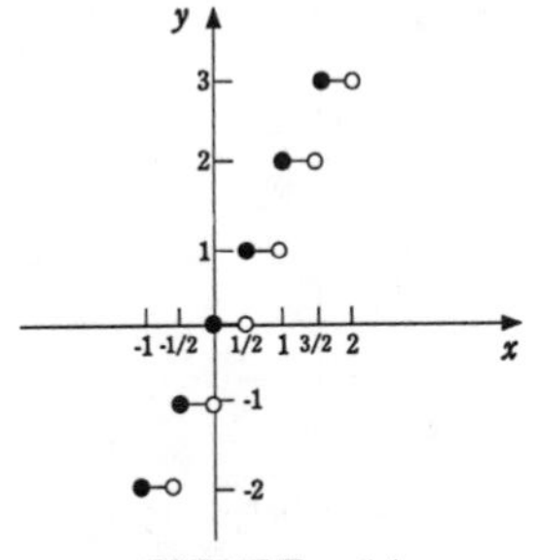

FIGURE 14

$\lim\limits_{x \to 0,5^-} f(x) = 0, \lim\limits_{x \to 0,5^+} f(x) = 1$

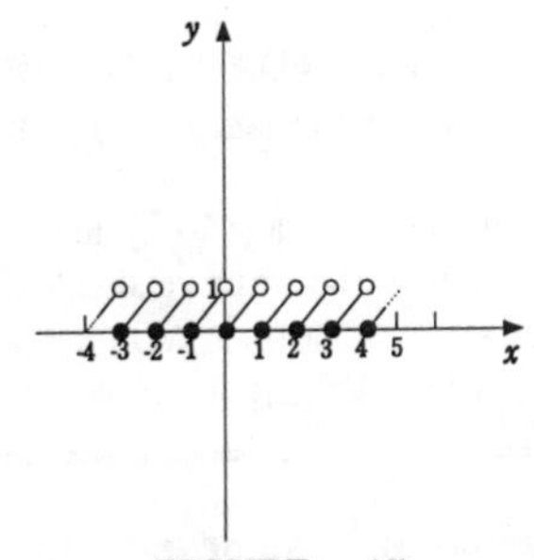

FIGURE 15

$\lim\limits_{x \to 0^-} f(x) = 1, \lim\limits_{x \to 0^+} f(x) = 0, \lim\limits_{x \to 1^-} f(x) = 1, \lim\limits_{x \to 1^+} f(x) = 0$

c)

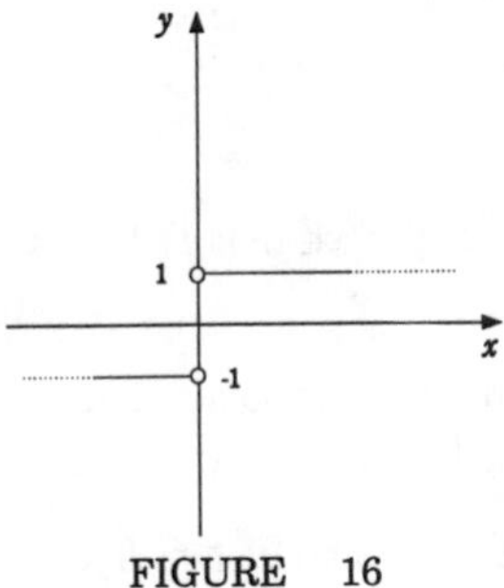

FIGURE 16

$\lim\limits_{x \to 0^-} f(x) = -1, \lim\limits_{x \to 0^+} f(x) = 1$

d)

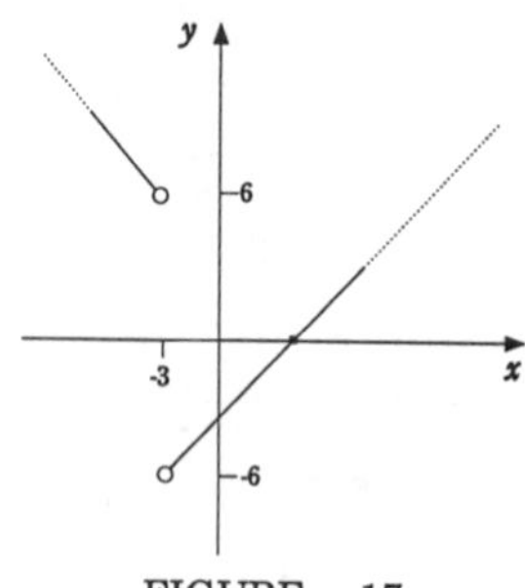

FIGURE 17

$\lim_{x \to -3^-} f(x) = 6, \lim_{x \to -3^+} f(x) = -6$

- **DÉFINITION FORMELLE DE LA LIMITE À GAUCHE ET À DROITE :** Par la définition, $\lim_{x \to a^+} f(x) = L$ ($\lim_{x \to a^-} f(x) = L$) si, pour chaque voisinage $V(L)$ de la limite L aussi petit que l'on veut on peut trouver un voisinage à droite de a, $V^+(a)$ (un voisinage à gauche de a, $V^-(a)$) tel que si $x \in V^+(a)$ ($x \in V^-(a)$) et $x \in \text{Dom} f$, alors $f(x) \in V(L)$.

14. Associer chaque notion à sa description formelle.

1. $\lim_{x \to a^+} f(x) = L$
2. $\lim_{x \to a^-} f(x) = L$
3. $\lim_{x \to a} f(x) = L$

a) $\forall \varepsilon > 0\ \exists \delta > 0\ \forall x \in \text{Dom} f\ \ 0 < |x - a| < \delta \Rightarrow |f(x) - L| < \varepsilon$

b) $\forall \varepsilon > 0\ \exists \delta > 0\ \forall x \in \text{Dom} f\ \ 0 < x - a < \delta \Rightarrow |f(x) - L| < \varepsilon$

c) $\forall \varepsilon > 0\ \exists \delta > 0\ \forall x \in \text{Dom} f\ \ 0 < a - x < \delta \Rightarrow |f(x) - L| < \varepsilon$

SOLUTION :

Pour résoudre ce problème il faut bien comprendre la notion de voisinage et ses descriptions équivalentes (voir tableau 1, p. 10).
On a

$V_\varepsilon(L) =]L-\varepsilon, L+\varepsilon[= \{ y \in R \mid L-\varepsilon < y < L+\varepsilon \} =$
$\{ y \in R \mid |y-L| < \varepsilon \}$,

$V_o(a) =]a-\delta, a+\delta[\setminus \{a\} = \{ x \in R \mid 0 < |x-a| < \delta \}$,

$V^+(a) = \{ x \in R \mid 0 < x-a < \delta \}$,

$V^-(a) = \{ x \in R \mid -\delta < x-a < 0 \} = \{ x \in R \mid 0 < a-x < \delta \}$.

RÉPONSES : 1 et b; 2 et c; 3 et a.

15. Soit la fonction *f* définie par

$$f(x) = \begin{cases} 3x+2 & \text{si } x \leq -2 \\ 3x-2 & \text{si } x > -2 \end{cases}$$

À l'aide de la définition formelle, démontrer que

a) $\lim\limits_{x \to -2^-} f(x) = -4$

b) $\lim\limits_{x \to -2^+} f(x) = -8$

SOLUTION ET RÉPONSE

a) Soit $V_\varepsilon(-4) =]-4-\varepsilon, -4+\varepsilon[$ un voisinage de la limite $L = -4$.
Pour $x < -2$ (limite à gauche), $f(x) = 3x + 2$ et

$3x + 2 \in]-4-\varepsilon, -4+\varepsilon[$ si et seulement si

$-4-\varepsilon < 3x+2 < -4+\varepsilon$ et $x < -2$ si et seulement si

$-2-\frac{\varepsilon}{3} < x < -2+\frac{\varepsilon}{3}$ et $x < -2$ si et seulement si

$-2-\frac{\varepsilon}{3} < x < -2$ (parce que $-2 < -2+\frac{\varepsilon}{3}$) si et seulement si

$-\frac{\varepsilon}{3} < x+2 < 0$ si et seulement si

$0 < -2-x < \frac{\varepsilon}{3}$

Cette dernière inéquation détermine un voisinage à gauche du nombre -2. Alors, pour chaque voisinage $V_\varepsilon(-4)$, on a trouvé le voisinage $V^-(-2)$ tel que si $x \in V^-(-2)$, alors $f(x) \in V_\varepsilon(-4)$.

b) Même raisonnement que pour a.

- **THÉORÈME :** Soit f une fonction et soit a et L deux nombres réels.
  $\lim_{x \to a} f(x)$ existe et est égale à L si et seulement si
  $\lim_{x \to a^+} f(x) = \lim_{x \to a^-} f(x) = L$

16. Soit la fonction f définie par

$$f(x) = \frac{3x + \sqrt{x^2 - 1}}{x^2 + x - 6}$$

Est-il possible d'évaluer la limite de la fonction f lorsque x tend vers 1 ? Justifier la réponse.

Si la fonction f n'est pas définie dans un voisinage (troué ou non) de a, alors la limite de la fonction f n'existe pas lorsque x tend vers a (pour la valeur de x proche de a, l'image $f(x)$ n'existe pas). Les fonctions répresentées à la figure 18 n'admettent pas de limites lorsque x tend vers a.

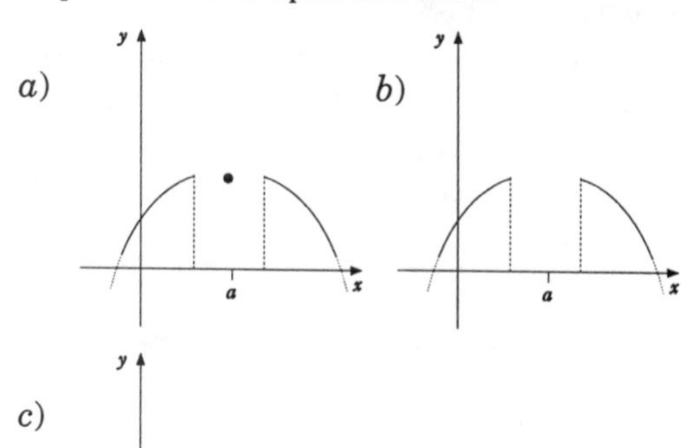

FIGURE 18

RÉPONSE: Non, parce que la fonction n'est pas définie pour $x \in]-1, 1[$ (exemple c de la figure 18).

17. Évaluer (si possible) les limites des fonctions définies ci-dessous

1. $f(x) = \dfrac{|x|}{x} + \dfrac{x-1}{|x-1|}$

   a) $\lim\limits_{x \to 0^+} f(x), \lim\limits_{x \to 0^-} f(x), \lim\limits_{x \to 0} f(x)$

   b) $\lim\limits_{x \to 1^+} f(x), \lim\limits_{x \to 1^-} f(x), \lim\limits_{x \to 1} f(x)$

   c) $\lim\limits_{x \to \frac{1}{2}^+} f(x), \lim\limits_{x \to \frac{1}{2}^-} f(x), \lim\limits_{x \to \frac{1}{2}} f(x)$

2. $f(x) = \sqrt{(2x+1)(2x-1)}$

   a) $\lim\limits_{x \to \frac{1}{2}^+} f(x), \lim\limits_{x \to \frac{1}{2}^-} f(x), \lim\limits_{x \to \frac{1}{2}} f(x)$

   b) $\lim\limits_{x \to -\frac{1}{2}^+} f(x), \lim\limits_{x \to -\frac{1}{2}^-} f(x), \lim\limits_{x \to -\frac{1}{2}} f(x)$

   c) $\lim\limits_{x \to 0^+} f(x), \lim\limits_{x \to 0^-} f(x), \lim\limits_{x \to 0} f(x)$

SOLUTION

1. Pour évaluer les limites, transformons la formule de cette fonction en

$$f(x) = \begin{cases} -2 & \text{si } x < 0 \\ 0 & \text{si } 0 < x < 1 \\ 2 & \text{si } x > 1 \end{cases}$$

   a) $\lim\limits_{x \to 0^+} f(x) = \lim\limits_{x \to 0^+} 0 = 0$ et

   $\lim\limits_{x \to 0^-} f(x) = \lim\limits_{x \to 0^-} -2 = -2$

   Donc, $\lim\limits_{x \to 0} f(x)$ n'existe pas parce que les limites à gauche et à droite sont différentes;

   b) $\lim\limits_{x \to 1^+} f(x) = \lim\limits_{x \to 1^+} 2 = 2$ et $\lim\limits_{x \to 1^-} f(x) = \lim\limits_{x \to 1^-} 0 = 0$

Donc, $\lim_{x \to 1} f(x)$ n'existe pas parce que les limites à gauche et à droite sont différentes

c) $\lim_{x \to ½^+} f(x) = \lim_{x \to ½} 0 = 0$ et $\lim_{x \to ½^-} f(x) = \lim_{x \to ½^-} 0 = 0$

Donc, $\lim_{x \to ½} f(x) = 0$

2. Dom $f = \{ x \in R \ (2x+1)(2x-1) \geq 0 \} =$ $]-\infty, -½] \cup [½, +\infty[$. Comme la fonction f n'est pas définie dans l'intervalle $]-½, ½[$, $\lim_{x \to -½^+} f(x)$, $\lim_{x \to -½^-} f(x)$ et les limites de f en 0 n'existent pas.

On peut évaluer les limites de la fonction f lorsque x tend vers ½ à droite ou lorsque x tend vers −½ à gauche en étudiant les tableaux de valeurs ci-dessous.

x	$f(x)$
0,6	0,663 3
0,55	0,458 3
0,51	0,201 0
0,501	0,063 3
0,500 1	0,020 0
0,500 01	0,006 3
⇓	⇓
$½^+$	0

x	$f(x)$
−0,6	0,663 3
−0,55	0,458 3
−0,51	0,201 0
−0,501	0,063 3
−0,500 1	0,020 0
−0,500 01	0,006 3
⇓	⇓
$-½^-$	0

RÉPONSES

1a) $\lim_{x \to 0^+} f(x) = 0$ et $\lim_{x \to 0^-} f(x) = -2$

Donc, $\lim_{x \to 0} f(x)$ n'existe pas.

1b) $\lim_{x \to 1^+} f(x) = 2$ et $\lim_{x \to 1^-} = f(x) = 0$

Donc, $\lim_{x \to 1} f(x)$ n'existe pas.

1c) $\lim_{x \to 1/2^+} f(x) = 0$ et, $\lim_{x \to 1/2^-} f(x) = 0$

Donc, $\lim_{x \to 1/2} f(x) = 0$

2a) $\lim_{x \to 1/2^+} f(x) = 0$ et $\lim_{x \to 1/2^-} f(x)$ n'existe pas.

Donc, $\lim_{x \to 1/2} f(x)$ n'existe pas.

2b) $\lim_{x \to 1/2^+} f(x)$ n'existe pas et $\lim_{x \to -1/2^-} f(x) = 0$

Donc, $\lim_{x \to -1/2} f(x)$ n'existe pas.

2c) $\lim_{x \to 0^+} f(x)$ n'existe pas, $\lim_{x \to 0^-} f(x)$ n'existe pas.

Donc, $\lim_{x \to 0} f(x)$ n'existe pas.

18. Soit la fonction *f* définie par

$$f(x) = \begin{cases} x+2 & \text{si } x \leq -2 \\ x^2 - 4 & \text{si } -2 < x < 0 \\ 0 & \text{si } x = 0 \\ |x-2| & \text{si } x > 0 \end{cases}$$

Évaluer les limites suivantes (si elles existent):

a) $\lim_{x \to -2} f(x)$

b) $\lim_{x \to 0} f(x)$

c) $\lim_{x \to 2} f(x)$

SOLUTION

Si le point a est le point de jonction de la fonction définie par branches, on calcule les limites à gauche et à droite de a séparément parce que la fonction est définie par des formules différentes à gauche et à droite de ce point.

a) $a = -2$ est un point de jonction. Donc, il faut évaluer séparément

$$\lim_{x \to -2^-} f(x) = \lim_{x \to -2^-} (x + 2) = 0 \text{ et}$$

$$\lim_{x \to -2^+} f(x) = \lim_{x \to -2^+} (x^2 - 4) = 0$$

alors, $\lim_{x \to -2} f(x) = 0$

b) $a = 0$ est un point de jonction. Donc, il faut évaluer séparément

$$\lim_{x \to 0^-} f(x) = \lim_{x \to 0^-} (x^2 - 4) = -4 \text{ et}$$

$$\lim_{x \to 0^+} f(x) = \lim_{x \to 0^+} |x - 2| = 2$$

Donc, $\lim_{x \to 0} f(x)$ n'existe pas, parce que les limites à gauche et à droite sont différentes.

c) a = 2 n'est pas un point de jonction. Donc

$$\lim_{x \to 2} f(x) = \lim_{x \to 2} |x - 2| = 0$$

RÉPONSES

a) $\lim_{x \to -2} f(x) = 0$

b) $\lim_{x \to 0} f(x)$ n'existe pas.

c) $\lim_{x \to 2} f(x) = 0$

3 PROPRIÉTÉS DES LIMITES

- Soit f et g deux fonctions telles que $\lim_{x \to a} f(x) = A$ et $\lim_{x \to a} f(x) = B$

On a les propriétés suivantes:

1. $\lim_{x \to a} [f(x) \pm g(x)] = \lim_{x \to a} f(x) \pm \lim_{x \to a} g(x) = A \pm B$
2. $\lim_{x \to a} [k f(x)] = k \lim_{x \to a} f(x) = k A$ où k est une constante réelle
3. $\lim_{x \to a} [f(x) \times g(x)] = \lim_{x \to a} f(x) \times \lim_{x \to a} g(x) = A \times B$
4. $\lim_{x \to a} \frac{f(x)}{g(x)} = \frac{\lim_{x \to a} f(x)}{\lim_{x \to b} g(x)} = \frac{A}{B}$ si $B \neq 0$
5. $\lim_{x \to a} [f(x)]^n = \left[\lim_{x \to a} f(x)\right]^n = A^n$ où $n \in N$
6. $\lim_{x \to a} \sqrt[n]{f(x)} = \sqrt[n]{\lim_{x \to a} f(x)} = \sqrt[n]{A}$ à condition que $f(x) \geq 0$ dans un voisinage (troué ou non) de a et $A \geq 0$ si n est pair
7. $\lim_{x \to a} k = k$ où k est une constante réelle
8. $\lim_{x \to a} x = a$

Exercices

19. Indiquer la (les) propriété(s) appliquée(s) à chaque étape des calculs de limites ci-dessous.

a) $\lim\limits_{x \to 1} (x^2 + 4)\ \sqrt[3]{2 - 10\,x}$

$= \lim\limits_{x \to 1} (x^2 + 4) \times \lim\limits_{x \to 1} \sqrt[3]{2 - 10\,x}$

$= [\lim\limits_{x \to 1} x^2 + \lim\limits_{x \to 1} 4] \times \lim\limits_{x \to 1} \sqrt[3]{2 - 10\,x}$

$= [(\lim\limits_{x \to 1} x)^2 + \lim\limits_{x \to 1} 4] \times \sqrt[3]{\lim\limits_{x \to 1} (2 - 10\,x)}$

$= [(\lim\limits_{x \to 1} x)^2 + \lim\limits_{x \to 1} 4] \times \sqrt[3]{\lim\limits_{x \to 1} 2 - \lim\limits_{x \to 1} 10\,x}$

$= [(\lim\limits_{x \to 1} x)^2 + \lim\limits_{x \to 1} 4] \times \sqrt[3]{\lim\limits_{x \to 1} 2 - 10 \lim\limits_{1x \to 1} x}$

$= (1^2 + 4) \times \sqrt[3]{2 - 10 \times 1} = -10$

b) $\lim\limits_{x \to 3} \dfrac{\sqrt{x^2 + 16}}{5\,x} = \dfrac{\lim\limits_{x \to 3} \sqrt{x^2 + 16}}{\lim\limits_{x \to 3} 5\,x}$

$= \sqrt{\dfrac{\lim\limits_{x \to 3} (x^2 + 16)}{5 \lim\limits_{x \to 3} x}}$

$= \sqrt{\dfrac{\lim\limits_{x \to 3} x^2 + \lim\limits_{x \to 3} 16}{5 \lim\limits_{x \to 0} x}}$

$= \sqrt{\dfrac{(\lim\limits_{x \to 3} x)^2 + \lim\limits_{x \to 3} 16}{5 \lim\limits_{x \to 3} x}}$

$$= \sqrt{\frac{3^2+16}{5\times 3}} = \frac{1}{3}$$

RÉPONSES

a) 3, 1, 5 et 6, 1, 2, 8 et 7.

b) 4, 2 et 6, 1, 5, 8 et 7.

20. Trouver les erreurs dans les développements ci-dessous.

a) $\lim\limits_{x \to 3} \sqrt{x^2 - 9} = \lim\limits_{x \to 3} (x - 3) = x - 3 = 0$

b) $f(x) = \begin{cases} 2x + 1 & si\ x \leq 1 \\ x^2 - 1 & si\ x > 1 \end{cases}$

$\lim\limits_{x \to 1} f(x) = \lim\limits_{x \to 1} (x^2 - 1) = (\lim\limits_{x \to 1} x)^2 - 1 = 0$

c) $\lim\limits_{x \to 2} \frac{(2x^2 + 1)}{x} = \lim\limits_{x \to 2} (2x + 1) = 2 \lim\limits_{x \to 2} x + 1 = 5$

d) $\lim\limits_{x \to 1} \sqrt{x - 1} = \sqrt{\lim\limits_{x \to 1} (x - 1)} = \sqrt{\lim\limits_{x \to 1} x - 1} = \sqrt{0} = 0$

SOLUTION ET RÉPONSE

a) 1re erreur: application d'une mauvaise formule.

$\sqrt{a + b}$ n'est pas égal à $\sqrt{a} + \sqrt{b}$.

$\sqrt{x^2 - 9}$ n'est pas égal à $\sqrt{x^2} - \sqrt{9}$

2e erreur: confusion de la notion de limite avec la formule de la fonction:

$\lim\limits_{x \to 3} (x - 3) \neq x - 3$

b) Le point $a = 1$ est le point de jonction pour la fonction *f*. Donc il faut évaluer la limite à gauche et à droite de a separément.

L'égalité $\lim\limits_{x \to 1} f(x) = \lim\limits_{x \to 1} (x^2 - 1)$

est vraie seulement pour les valeurs de $x > 1$.

c) L'erreur est dans la simplification.

Seuls les facteurs communs du numérateur et du dénominateur peuvent être simplifiés.

d) La limite n'existe pas parce que la limite à gauche n'existe pas. Seule la limite à droite peut être évaluée.

21. Calculer les limites ci-dessous. Indiquer la (les) propriété(s) utilisée(s) à chaque étape.

a) $\lim\limits_{x \to 1} (2x + 1)$

b) $\lim\limits_{x \to 2} (2x^2 + 2x - 1)$

c) $\lim\limits_{x \to 2} \dfrac{x^2 - 4}{x^2 + 4}$

d) $\lim\limits_{x \to -1} (x - 1)^3$

e) $\lim\limits_{x \to 1} \left(\dfrac{x}{2 - x}\right)^{3/2}$

f) $\lim\limits_{x \to -1} \sqrt{1 - x}$

SOLUTIONS ET RÉPONSES

a) $\lim\limits_{x \to 1} (2x + 1)$

$= \lim\limits_{x \to 1} 2x + \lim\limits_{x \to 1} 1$ propriété 1

$= 2 \lim\limits_{x \to 1} x + \lim\limits_{x \to 1} 1$ propriété 2

$= 2 \times 1 + 1 = 3$ propriétés 8 et 7

b) $\lim\limits_{x \to 2} (2x^2 + 2x - 1)$

$= \lim\limits_{x \to 2} 2x^2 + \lim\limits_{x \to 2} 2x - \lim\limits_{x \to 2} 1$ propriété 1

$= 2 \lim\limits_{x \to 2} x^2 + 2 \lim\limits_{x \to 2} x - \lim 1$ propriété 2

$= 2 (\lim\limits_{x \to 1} x)^2 + 2 \lim\limits_{x \to 1} x - \lim\limits_{x \to 1} 1$ propriété 5

$= 2 \times 1^2 + 2 \times 1 - 1 = 3$ propriétés 8 et 7

c) $\lim\limits_{x \to 2} \dfrac{x^2 - 4}{x^2 + 4}$

$= \dfrac{\lim\limits_{x \to 2} (x^2 - 4)}{\lim\limits_{x \to 2} (x^2 + 4)}$ propriété 4

$= \dfrac{(\lim\limits_{x \to 2} x)^2 - \lim\limits_{x \to 2} 4}{(\lim\limits_{x \to 2} x)^2 + \lim\limits_{x \to 2} 4}$ propriétés 1 et 5

$= \dfrac{2^2 - 4}{2^2 + 4} = 0$ propriétés 8 et 7

d) $\lim\limits_{x \to -1} (x - 1)^3$

$= \left[\lim\limits_{x \to -1} (x - 1)\right]^3$ propriété 5

$= \left[\lim\limits_{x \to -1} x - \lim\limits_{x \to -1} 1\right]^3$ propriété 1

$= [-1 - 1]^3 = -8$ propriétés 8 et 7

e) $\lim\limits_{x \to 1} \left[\dfrac{x}{2 - x}\right]^{3/2} = \lim\limits_{x \to 1} \sqrt{\left(\dfrac{x}{2 - x}\right)^3}$

$= \left(\lim\limits_{x \to 1} \sqrt{\dfrac{x}{2 - x}}\right)^3$ propriété 5

$$= \left(\sqrt{\lim_{x \to 1} \frac{x}{2-x}}\right)^3$$ propriété 6

Avant d'appliquer la propriété 6, il faut vérifier si les conditions exigées sont remplies.

1re condition: $\frac{x}{2-x} \geq 0$ dans un voisinage (troué ou non) de 1

2e condition: $\lim_{x \to 1} \frac{x}{2-x} \geq 0$

La 1re condition est vérifiée dans l'intervalle] 0, 2 [qui est un voisinage de 1.

La 2e condition est vérifiée parce que $\lim_{x \to 1} \frac{x}{2-x} = 1$

$$= \left(\sqrt{\frac{\lim_{x \to 1} x}{\lim_{x \to 1} (2-x)}}\right)^3$$ propriété 4

$$= \left(\sqrt{\frac{\lim_{x \to 1} x}{\lim_{x \to 1} 2 - \lim_{x \to 1} x}}\right)^3$$ propriété 1

$$= \left(\sqrt{\frac{1}{2-1}}\right)^3$$ propriétés 8 et 7

f) $\lim_{x \to -1} \sqrt{1-x}$

$$= \sqrt{\lim_{x \to -1} (1-x)}$$ propriété 6

1re condition: $1 - x \geq 0$ dans un voisinage de -1

2e condition: $\lim_{x \to -1} (1-x) \geq 0$

La 1re condition est vérifiée dans l'intervalle] –∞, 1] qui contient un voisinage de –1 (par exemple] –2 , 0 [ )

La 2e condition est vérifiée parce que $\lim\limits_{x \to -1} (1 - x) = 2$

$\sqrt{\lim\limits_{x \to -1} (1 - x)}$

$= \sqrt{\lim\limits_{x \to -1} 1 - \lim\limits_{x \to -1} x}$ propriété 1

$= \sqrt{1 - (-1)} = \sqrt{2}$ propriétés 8 et 7

Ne pas conclure de ces problèmes que l'égalité $\lim\limits_{x \to a} f(x) = f(a)$ est toujours vraie.

22. Calculer les limites ci-dessous ou démontrer qu'elles n'existent pas.

a) $\lim\limits_{x \to 0} \sqrt{5x - 1}$

b) $\lim\limits_{x \to \frac{1}{5}} \sqrt{5x - 1}$

c) $\lim\limits_{x \to 0} \sqrt{\dfrac{2x^2}{1 - x}}$

SOLUTIONS

a) $\lim\limits_{x \to 0} \sqrt{5x - 1}$ n'existe pas, parce que la fonction n'est pas définie sur l'intervalle] $-\frac{1}{5}, +\frac{1}{5}$, [qui est un voisinage de 0.

Dom $f = \{ x \in R \mid 5x - 1 \geq 0 \} = [\frac{1}{5}, +\infty [$

b) $\lim_{x \to 1/5} \sqrt{5x - 1}$ n'existe pas parce que la limite à gauche n'existe pas. La fonction n'est pas définie pour $x < \frac{1}{5}$

c) $\lim_{x \to -1} \sqrt{\frac{2x^2}{1-x}} = \sqrt{\lim_{x \to 0} \frac{2x^2}{1-x}} = \sqrt{0^+} = 0$

$\lim_{x \to a} f(x) = 0^+$ signifie que $\lim_{x \to a} f(x) = 0$ et que $f(x) \geq 0$ autour de a (dans un voisinage troué ou non de a).

$\lim_{x \to a} f(x) = 0^-$ signifie que $\lim_{x \to a} f(x) = 0$ et que $f(x) \leq 0$ autour de a (dans un voisinage troué ou non de a).

RÉPONSES

a) $\lim_{x \to 0} \sqrt{5x - 1}$ n'existe pas

b) $\lim_{x \to \frac{1}{5}} \sqrt{5x - 1}$ n'existe pas

c) $= \lim_{x \to 0} \sqrt{\frac{2x^2}{1-x}} = 0$

4 CONTINUITÉ D'UNE FONCTION

- **DÉFINITION D'UNE FONCTION CONTINUE EN UN POINT :**
  Une fonction f est continue en un point a si et seulement si les trois conditions suivantes sont remplies.
  1° $f(a)$ existe ($a \in \text{Dom} f$)
  2° $\lim\limits_{x \to a} f(x)$ existe
  3° $\lim\limits_{x \to a} f(x) = f(a)$
- À la figure 19, la courbe en a représente une fonction continue en $x = a$; les courbes en b et c représentent des fonctions discontinues par trou; les courbes en d et e représentent des fonctions discontinues par saut et la courbe en f représente une fonction discontinue par fuite à l'infini en $x = a$.

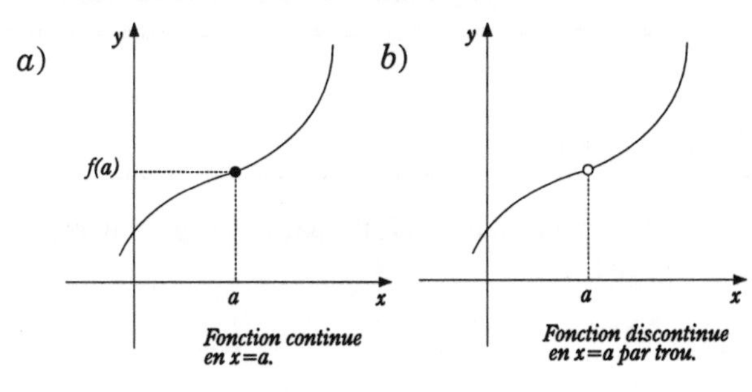

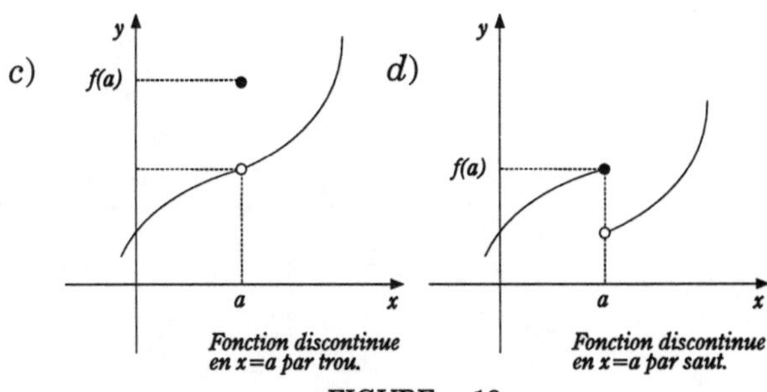

FIGURE 19

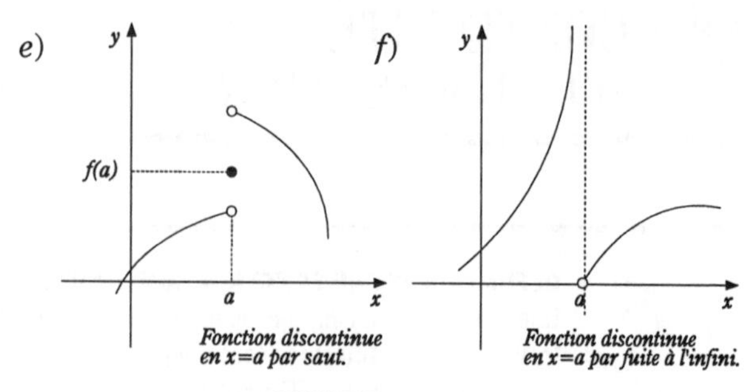

FIGURE 19 (suite)

- Une fonction f est continue à gauche (à droite) en $x = a$ si $\lim_{x \to a^-} f(x) = f(a)$ $(\lim_{x \to a^+} f(x) = f(a))$.
- Une fonction f est continue dans un intervalle fermé $[a, b]$ si elle est continue en tout $x \in]a, b[$, est continue à droite en $x = a$ et est continue à gauche en $x = b$.
- La fonction polynômiale est continue dans R.
- La fonction rationnelle est continue dans son domaine.

Exercices

23. Soit une fonction f définie par le graphique représentée à la figure 20.

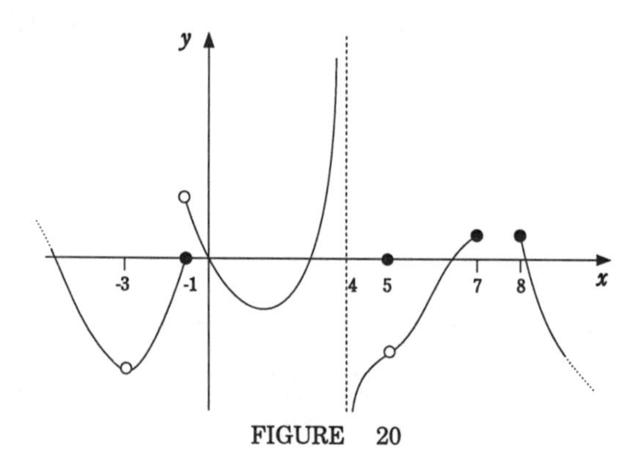

FIGURE 20

a) Terminer les énoncés ci-dessous par:

continue, continue à gauche, continue à droite ou discontinue.

1. en $x = 1$, la fonction est...,
2. en $x = 7$, la fonction est...,
3. en $x = 8$, la fonction est...,
4. en $x = -1$, la fonction est....

b) Est-ce que la fonction f est continue dans les intervalles suivants? Répondre par oui ou non.

1. $[-2, 4]$ 2. $]-2, 4[$

3. $[6, 7]$ 4. $]4, 7]$

c) Nommer le type de discontinuité en

1. $x = -3$ 2. $x = -1$

3. $x = 4$ 4. $x = 5$

RÉPONSES

a) 1. continue, 2. continue à gauche,
3. continue à droite, 4. discontinue.

b) 1. non, 2. non, 3. oui, 4. non.

c) 1. discontinuité par trou, 2. discontinuité par saut,
3. discontinuité par fuite à l'infini,
4. discontinuité par trou.

24. Tracer le graphique d'une fonction f qui remplit simultanément les conditions ci-dessous.

a) $\text{Dom} f = [-3, 6[$

b) $f(-3) = f(0) = f(2) = 0$

c) $\lim_{x \to 2} f(x) = 1$ et $\lim_{x \to 6^-} f(x) = 0$

d) f est une fonction continue dans tous les points du domaine, sauf en $x = 2$

e) $x f(x) \geq 0$ pour $x \in \text{Dom} f$

SOLUTION ET RÉPONSE

1re étape: Dom $f = [-3, 6[$ (figure 21)

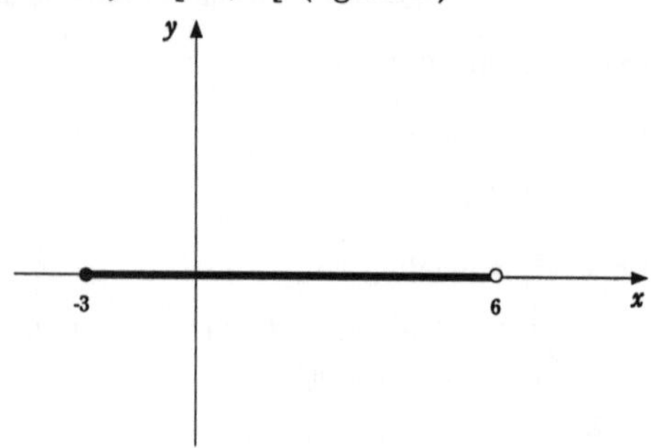

FIGURE 21

2e étape: $f(-3) = f(0) = f(2) = 0$ (figure 22)

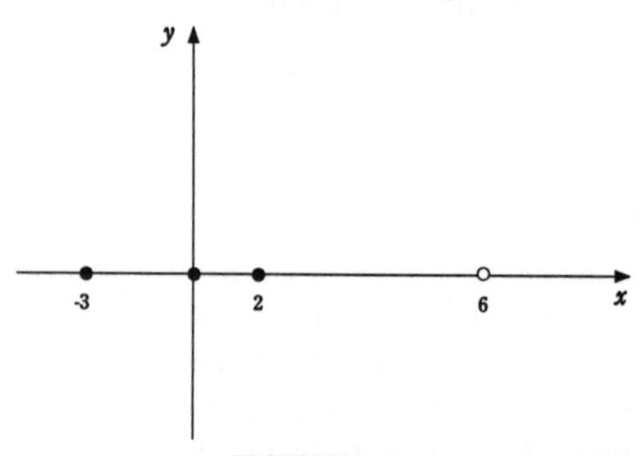

FIGURE 22

3e étape: $\lim_{x\to 2} f(x) = 1$ et $\lim_{x\to 6^-} f(x) = 0$ (figure 23)

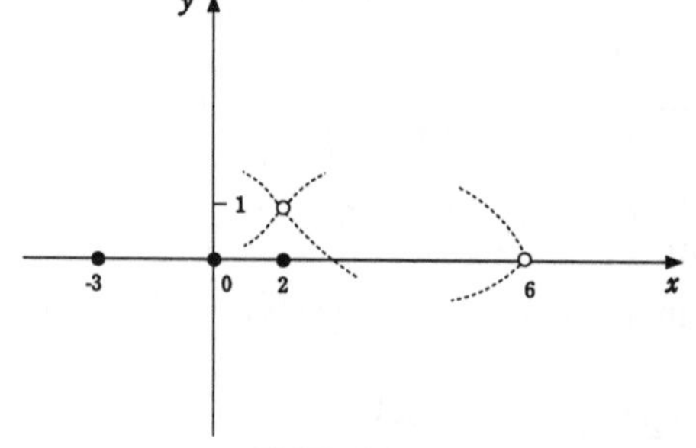

FIGURE 23

4e étape: $x = 2$ est un point unique de discontinuité et $x\,f(x) \geq 0$ (figure 24)

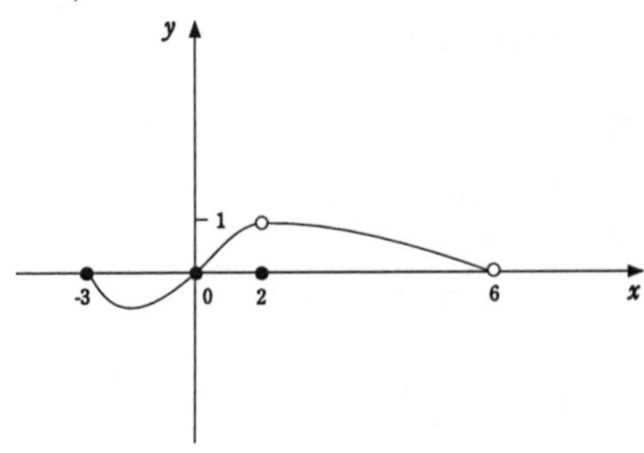

FIGURE 24

25. Étudier la continuité en $x = 0$ des fonctions ci-dessous.

$a)\ f(x) = \begin{cases} -x^2 - 1 & si\ x < 0 \\ x^2 + 1 & si\ x \geq 0 \end{cases}$

$b)\ f(x) = \begin{cases} x^2 + 1 & si\ x < 0 \\ 0 & si\ x = 0 \\ x + 1 & si\ x > 0 \end{cases}$

$c)\ f(x) = \begin{cases} 3x & si\ x < 0 \\ 2x - x^2 & si\ x \geq 0 \end{cases}$

SOLUTIONS ET RÉPONSES

Il faut vérifier les trois conditions de la définition d'une fonction continue en un point.

a) 1° $f(0)$ existe et vaut 1

2° $\lim\limits_{x \to 0} f(x)$ n'existe pas parce que les limites à gauche et à droite sont différentes. En effet,

$\lim\limits_{x \to 0^-} f(x) = \lim\limits_{x \to 0^-} (-x^2 - 1) = -1$ et

$\lim\limits_{x \to 0^+} f(x) = \lim\limits_{x \to 0^+} (x^2 + 1) = 1$

Donc, la fonction est discontinue en $x = 0$. C'est une discontinuité par saut.

b) 1° $f(0)$ existe et vaut 0

2° $\lim\limits_{x \to 0} f(x)$ existe parce que

$$\lim_{x \to 0^-} f(x) = \lim_{x \to 0^-} (x^2 + 1) = 1 \text{ et}$$

$$\lim_{x \to 0^+} f(x) = \lim_{x \to 0^+} (x + 1) = 1$$

3° $\lim\limits_{x \to 0} f(x) = 1 \neq f(0) = 0$

La troisième condition n'est pas respectée. Donc, la fonction n'est pas continue en $x = 0$. C'est une discontinuité par trou.

c) 1° $f(0)$ existe et vaut 0

2° $\lim\limits_{x \to 0} f(x)$ existe parce que

$$\lim_{x \to 0^-} f(x) = \lim_{x \to 0^-} 3x = 0 \text{ et}$$

$$\lim_{x \to 0^+} f(x) = \lim_{x \to 0^+} (2x - x^2) = 0$$

3° $\lim\limits_{x \to 0} f(x) = f(0) = 0$

Les trois conditions sont remplies. Donc, la fonction est continue en $x = 0$.

26. Étudier la continuité dans *R* des fonctions ci-dessous.

a) $f(x) = \dfrac{x^2 - 4}{x^2 + x - 2}$

b) $f(x) = \dfrac{x^2 - 4}{x^2 + 4}$

c) $f(x) = \begin{cases} x^2 + 3x - 4 & \text{si } x \leq 0 \\ 4x - 4 & \text{si } 0 < x < 1 \\ -4 & \text{si } x \geq 1 \end{cases}$

SOLUTION

a) La fonction rationnelle est continue dans son domaine et donc est continue en tout point pour lequel le dénominateur ne s'annule pas. Donc, la fonction f définie par

$$f(x) = \frac{x^2 - 4}{x^2 + x - 2}$$

est continue dans $\{x \in R \mid x^2 + x - 2 \neq 0\} = R \setminus \{-2,1\}$.

b) Cette fonction est continue dans R parce que le dénominateur n'admet pas de zéros.

c) La fonction est continue dans les intervalles $]-\infty, 0[$, $]0, 1[$ et $]1, +\infty[$.

Il faut étudier la continuité aux points de jonction.

Soit $x = 0$

1° $f(0)$ existe et vaut -4,

2° $\lim\limits_{x \to 0} f(x)$ existe parce que

$$\lim_{x \to 0^-} f(x) = \lim_{x \to 0^-} (x^2 + 3x - 4) = -4 \text{ et}$$

$$\lim_{x \to 0^+} f(x) = \lim_{x \to 0^+} (4x - 4) = -4$$

3° $\lim\limits_{x \to 0} f(x) = f(0) = -4$,

Donc, la fonction est continue en $x = 0$.

Soit $x = 1$

1° $f(1)$ existe et vaut -4,

2° $\lim\limits_{x \to 1} f(x)$ n'existe pas parce que

$$\lim_{x \to 1^-} f(x) = \lim_{x \to 1^-} (4x - 4) = 0 \text{ et}$$

$$\lim_{x \to 1^+} f(x) = \lim_{x \to 1^+} (-4) = -4.$$

Donc, la fonction n'est pas continue en $x = 1$. C'est une discontinuité par saut.

RÉPONSES

a) $R \setminus \{-2, 1\}$

b) R

c) $R \setminus \{1\}$

27. Trouver (si elles existent) les valeurs de k pour que les fonctions f ci-dessous définies par branches soient continues en $x = a$.

$$a)\ f(x) = \begin{cases} x^2 - 2 & si\ x < 1 \\ k & si\ x = 1 \\ x + 1 & si\ x > 1 \end{cases}$$

et $a = 1$

$$b)\ f(x) = \begin{cases} -x - 4 & si\ x < -1 \\ k & si\ -1 < x < 1 \\ x^2 - 4 & si\ x > 1 \end{cases}$$

et $a = -1$ ou $a = 1$

$$c)\ f(x) = \begin{cases} x^2 - 1 & si\ x < k \\ 0 & si\ x = k \\ \sqrt{x + 1} & si\ x > k \end{cases}$$

et $a = k$.

SOLUTIONS

a) 1° $f(1)$ existe et vaut k

2° $\lim\limits_{x \to 1^-} f(x) = \lim\limits_{x \to 1^-} (x^2 - 2) = -1$ et

$\lim\limits_{x \to 1^+} f(x) = \lim\limits_{x \to 1^+} (x + 1) = 2$

D'où, $\lim\limits_{x \to 1} f(x)$ n'existe pas.

Donc, la fonction f est discontinue en $x = 1$, quelle que soit la valeur de k.

b) Soit $a = -1$

1° $f(-1)$ existe et vaut k

2° $\lim_{x \to -1^-} f(x) = \lim_{x \to -1^-} (-x - 4) = -3$ et

$\lim_{x \to -1^+} f(x) = \lim_{x \to -1^+} k = k$

Donc, pour que la limite existe, il faut que $k = -3$.

3° Si $k = -3$, alors $f(-1) = -3$ et $\lim_{x \to -1} f(x) = -3$

Soit $a = 1$

Quelle que soit la valeur de k, la fonction est discontinue en $x = 1$, car $f(1)$ n'existe pas.

c) 1° $f(k)$ existe et vaut 0

2° $\lim_{x \to k^-} f(x) = \lim_{x \to k^-} (x^2 - 1) = k^2 - 1$ et

$\lim_{x \to k^+} f(x) = \lim_{x \to k^+} \sqrt{x+1} = \sqrt{k+1}$

Donc, $\lim_{x \to k} f(x)$ existe si $k^2 - 1 = \sqrt{k+1}$.

Cette équation est satisfaite par deux valeurs de k:

$$k_1 = -1 \text{ et } k_2 = \frac{1+\sqrt{5}}{2}$$

3° Pour $k = -1$, la troisième condition de la continuité est respectée, en revanche, cette condition n'est pas respectée pour $k = \frac{1+\sqrt{5}}{2}$

RÉPONSES

a) la valeur *de k* n'existe pas.

b) $k = -3$ pour $a = -1$, la valeur de k n'existe pas pour $a = 1$

c) $k = -1$

28. Appliquer les propriétés d'une fonction continue pour calculer

a) $\lim\limits_{x \to 3} 5\,(2x - 1)$

b) $\lim\limits_{x \to 1} (x^5 + x^2 + 3x - 1)$

c) $\lim\limits_{x \to 0} \dfrac{x^2 + x - 2}{2x^2 - 1}$

d) $\lim\limits_{x \to 2^-} \sqrt{4 - x^2}$

e) $\lim\limits_{x \to 2} \dfrac{\sqrt{x + 2} - 2}{x}$

f) $\lim\limits_{x \to 0^+} \dfrac{2x^2 - 1 + \sqrt{2x^2 - 1}}{2x + 1 - \sqrt{x}}$

SOLUTIONS ET RÉPONSES

a) Les polynômes sont continus dans R. Donc, d'après la troisième condition de la fonction continue, on a

$$\lim_{x \to 3} 5\,(2x - 1) = 5\,(2\,(3) - 1) = 25$$

b) $\lim\limits_{x \to 1} (x^5 + x^2 + 3x - 1) = (1)^5 + (1)^2 + 3\,(1) - 1 = 4$

c) Le dénominateur ne s'annule pas pour $x = 0$. Donc, la fonction est continue en $x = 0$ et

$$\lim_{x \to 0} \frac{x^2 + x - 2}{2x^2 - 1} = \frac{(0)^2 + (0) - 2}{2(0)^2 - 1} = 2$$

d) $\text{Dom} f = \{ x \in R \mid 4 - x^2 \geq 0\} = [-2, 2]$. Donc, la fonction est continue à gauche en $x = 2$ et

$$\lim_{x \to 2^-} \sqrt{4 - x^2} = \sqrt{4 - (2)^2} = 0$$

$\lim_{x \to 2^+} \sqrt{4 - x^2}$ n'existe pas parce que $\sqrt{\lim_{x \to 2^+} (4 - x^2)} = \sqrt{0^-}$ n'existe pas.

REMARQUE Le quotient $\frac{f(x)}{g(x)}$ de deux fonctions continues est continu en tout point pour lequel le dénominateur ne s'annule pas.

e) $\lim_{x \to 2} \frac{\sqrt{x+2} - 2}{x} = \frac{\sqrt{(2)+2} - 2}{(2)} = 0$

f) $\lim_{x \to 0^+} \frac{2x^2 - 1 + \sqrt{2x^2+1}}{2x + 1 - \sqrt{x}} = \frac{2(0)^2 - 1 + \sqrt{2(0)^2 + 1}}{2(0) + 1 - \sqrt{0^+}} = 0$

La limite de cette fonction lorsque x tend vers 0 à gauche n'existe pas parce que $\sqrt{0^-}$ n'existe pas.

29. Calculer les limites ci-dessous

a) $\lim_{x \to -2} \frac{x^3 + 8}{x^3 - x^2 - 6x}$

b) $\lim_{x \to 0} \frac{\sqrt{x+25} - 5}{x}$

c) $\lim_{x \to 2^+} \frac{2 - x}{\sqrt{x-2}}$

d) $\lim_{x \to 3} \frac{\sqrt{x^2+16} - 5}{\sqrt{3x} - 3}$

e) $\lim\limits_{x \to -1} \dfrac{x+1}{1-\sqrt{-x}}$

f) $\lim\limits_{x \to 0} \dfrac{x^2-4x}{|x|+2x}$

SOLUTION

Soit f une fonction discontinue par trou en $x = a$, et soit g une fonction continue en $x = a$.
Si $f(x) = g(x)$ pour $x \neq a$, alors

$$\lim_{x \to a} f(x) = \lim_{x \to a} g(x) = g(a).$$

REMARQUE Soit $\lim\limits_{x \to a} \dfrac{f(x)}{g(x)}$ la forme indéterminée «zéro sur zéro».

On lève certains cas d'indétermination de la forme $[\frac{0}{0}]$ en factorisant $f(x)$ et $g(x)$. Cela donne le facteur $x - a$ au numérateur et au dénominateur. On peut simplifier par $x - a$, parce que $x - a \neq 0$ (x tend vers a; donc, $x \neq a$).

---

a) $\lim\limits_{x \to -2} \dfrac{x^3+8}{x^3-x^2-6x}$ forme indéterminée $[\frac{0}{0}]$

$$= \lim_{x \to -2} \frac{\cancel{(x+2)}(x^2-2x+4)}{x\cancel{(x+2)}(x-3)}$$

$$= \lim_{x \to -2} \frac{x^2-2x+4}{x(x-3)} = \frac{(-2)^2-2(-2)+4}{(-2)((-2)-3)} = \frac{3}{2}$$

b) $\lim\limits_{x \to 0} \dfrac{\sqrt{x+25}-5}{x}$ forme indéterminée $[\frac{0}{0}]$

Pour lever l'indétermination, nous devons simplifier le facteur x.

$$= \lim_{x \to 0} \frac{\sqrt{x+25}-5}{x} \times \frac{\sqrt{x+25}+5}{\sqrt{x+25}+5}$$

$$= \lim_{x \to 0} \frac{1}{\sqrt{x+25}+5} = \frac{1}{10}$$

c) $\lim\limits_{x \to 2^+} \dfrac{2-x}{\sqrt{x-2}}$ forme indéterminée $[\frac{0}{0}]$

$$= \lim_{x \to 2^+} \frac{2-x}{\sqrt{x-2}} \times \frac{\sqrt{x-2}}{\sqrt{x-2}}$$

$$= \lim_{x \to 2^+} -\sqrt{x-2} = -\sqrt{0^+} = 0$$

d) $\lim\limits_{x \to 3} \dfrac{\sqrt{x^2+16}-5}{\sqrt{3x}-3}$ forme indéterminée $[\frac{0}{0}]$

$$= \lim_{x \to 3} \frac{\sqrt{x^2+16}-5}{\sqrt{3x}-3} \times \frac{\sqrt{x^2+16}+5}{\sqrt{x^2+16}+5} \times \frac{\sqrt{3x}+3}{\sqrt{3x}+3}$$

$$= \lim_{x \to 3} \frac{(x+3)(\sqrt{3x}+3)}{3(\sqrt{x^2+16}+5)} = \frac{6}{5}$$

e) $\lim\limits_{x \to -1} \dfrac{x+1}{1-\sqrt{-x}}$ forme indéterminée $[\frac{0}{0}]$

$$= \lim_{x \to -1} \frac{x+1}{1-\sqrt{-x}} \times \frac{1+\sqrt{-x}}{1+\sqrt{-x}}$$

$$= \lim_{x \to -1} (1+\sqrt{-x}) = 2$$

f) $\lim\limits_{x \to 0} \dfrac{x^2-4x}{|x|+2x}$ forme indéterminée $[\frac{0}{0}]$

La formule de la fonction contient une valeur absolue. Donc, il faut calculer séparément les limites à gauche et à droite. On a

$$\lim_{x \to 0^-} \frac{x^2-4x}{|x|+2x} = \lim_{x \to 0^-} \frac{x^2-4x}{-x+2x}$$

$$= \lim_{x \to 0^-} \frac{x(x-4)}{x} = \lim_{x \to 0^-} (x-4) = -4$$

et $\lim\limits_{x \to 0^+} \dfrac{x^2 - 4x}{|x| + 2x} = \lim\limits_{x \to 0^+} \dfrac{x^2 - 4x}{x + 2x}$

$= \lim\limits_{x \to 0^+} \dfrac{x\,(x - 4)}{3x} = \lim\limits_{x \to 0^+} \dfrac{x - 4}{3} = -\dfrac{4}{3}$

Donc, la limite n'existe pas.

RÉPONSES

$a)\ \lim\limits_{x \to -2} \dfrac{x^3 + 8}{x^3 - x^2 - 6x} = \dfrac{3}{2}$

$b)\ \lim\limits_{x \to 0} \dfrac{\sqrt{x + 25} - 5}{x} = \dfrac{1}{10}$

$c)\ \lim\limits_{x \to 2^+} \dfrac{2 - x}{\sqrt{x - 2}} = 0$

$d)\ \lim\limits_{x \to 3} \dfrac{\sqrt{x^2 + 16} - 5}{\sqrt{3x} - 3} = \dfrac{6}{5}$

$e)\ \lim\limits_{x \to -1} \dfrac{x + 1}{1 - \sqrt{-x}} = 2$

$f)\ \lim\limits_{x \to 0} \dfrac{x^2 - 4x}{|x| + 2x}$ n'existe pas.

5 LIMITES INFINIES

- **DÉFINITION INTUITIVE DE LA LIMITE INFINIE:** Soit f une fonction et soit a un nombre réel.
  $\lim_{x \to a} f(x) = +\infty$ ($\lim_{x \to a} f(x) = -\infty$) signifie que les valeurs $f(x)$ augmentent (diminuent) sans borne lorsque x tend vers a. (figure 25)

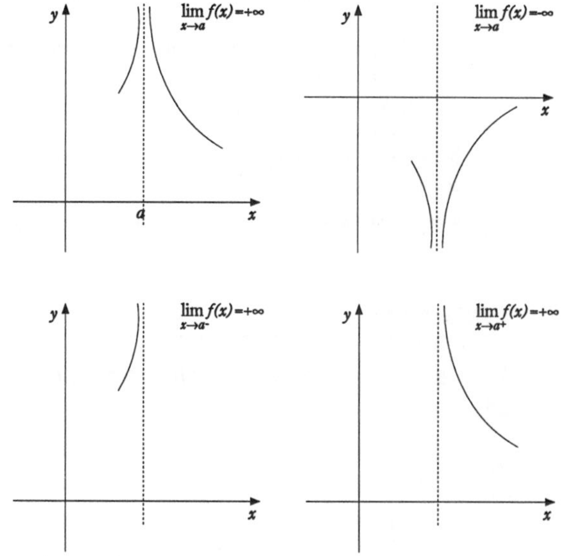

FIGURE 25

- **DÉFINITION INTUITIVE DE LA LIMITE À L'INFINI:** Soit f une fonction et L un nombre réel.
  $\lim_{x \to +\infty} f(x) = L$ ($\lim_{x \to -\infty} f(x) = L$) signifie que les valeurs $f(x)$ tendent vers L lorsque x augmente (diminue) sans borne. (figure 26)

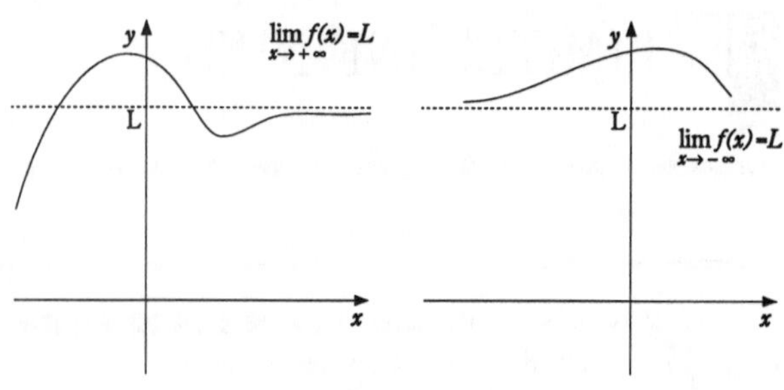

FIGURE 26

- **DÉFINITION INTUITIVE DE LA LIMITE INFINIE À L'INFINI :**
  Soit f une fonction.
  $\lim_{x \to +\infty} f(x) = +\infty$ ($\lim_{x \to +\infty} f(x) = -\infty$) signifie que les valeurs $f(x)$ augmentent (diminuent) sans borne lorsque x augmente sans borne.
  $\lim_{x \to -\infty} f(x) = +\infty$ ($\lim_{x \to -\infty} f(x) = -\infty$) signifie que les valeurs $f(x)$ augmentent (diminuent) sans borne lorsque x diminue sans borne.

Exercices

30. À l'aide des tableaux de valeurs évaluer les limites ci-dessous.

a) $\lim_{x \to +\infty} \frac{1}{x}$

b) $\lim_{x \to -\infty} \frac{1}{x}$

c) $\lim_{x \to 0^-} \frac{1}{x}$

d) $\lim_{x \to 0^+} \frac{1}{x}$

SOLUTIONS

a)

x	$1/x$
100	0,01
1 000	0,001
100 000	0,000 01
$\Downarrow$	$\Downarrow$
$+\infty$	0^+

b)

x	$1/x$
–100	–0,01
–1 000	–0,001
–100 000	–0,000 01
$\Downarrow$	$\Downarrow$
$-\infty$	0^-

c)

x	$1/x$
–1	–1
–0,5	–2
–0,01	–100
–0,005	–200
–0,000 1	–10 000
$\Downarrow$	$\Downarrow$
0^-	$-\infty$

d)

x	$1/x$
1	1
0,5	2
0,01	100
0,005	200
0,000 1	10 000
$\Downarrow$	$\Downarrow$
0^+	$+\infty$

RÉPONSES

$a)\ \lim\limits_{x \to +\infty} \dfrac{1}{x} = 0^+$

$b)\ \lim\limits_{x \to -\infty} \dfrac{1}{x} = 0^-$

$c)\ \lim\limits_{x \to 0^-} \dfrac{1}{x} = -\infty$

$d)\ \lim\limits_{x \to 0^+} \dfrac{1}{x} = +\infty$

31. Associer chaque énoncé ci-dessous au(x) graphique(s) correspondant(s)de la figure 27.

$a)\ \lim\limits_{x \to 2} f(x) = +\infty$ $\qquad$ $b)\ \lim\limits_{x \to +\infty} f(x) = 3$

$c)\ \lim\limits_{x \to 2^+} f(x) = +\infty$ $\qquad$ $d)\ \lim\limits_{x \to -\infty} f(x) = 3$

$e)\ \lim\limits_{x \to 2} f(x)$ n'existe pas $\qquad$ $f)\ \lim\limits_{x \to 2^+} f(x) = 3$

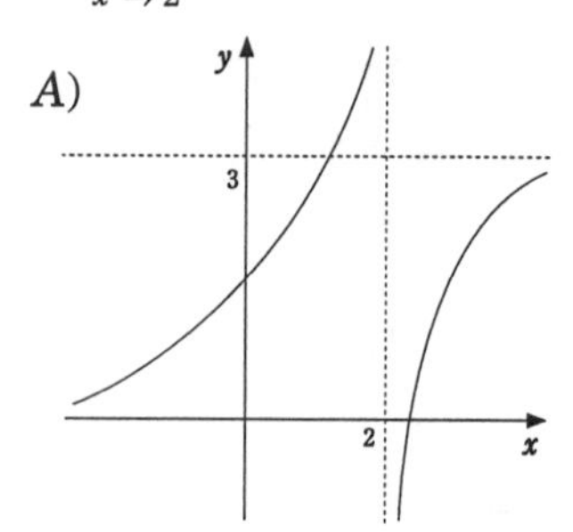

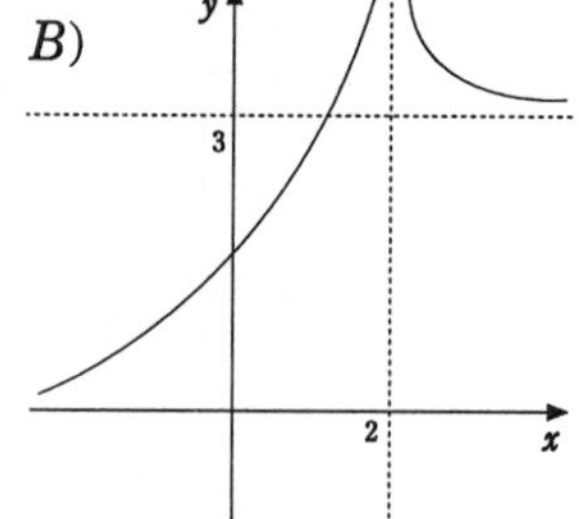

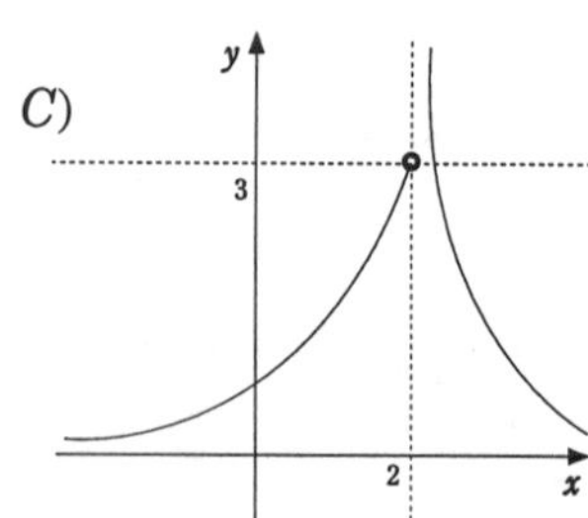

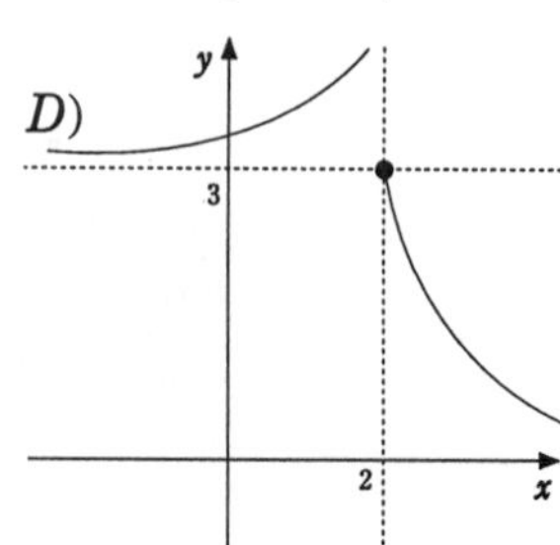

FIGURE 27

RÉPONSES

a et *B*	*b* et *A*, *B*	*c* et *B*, *C*
d et *D*	*e* et *A*, *C*, *D*	*f* et *D*.

32. Soit le graphique de la fonction *f* (figure 28).

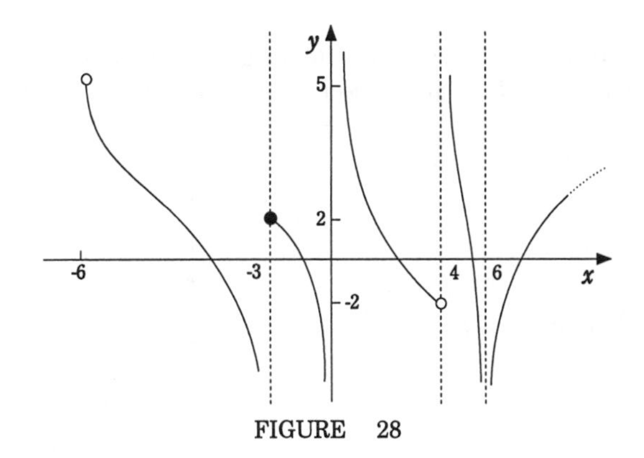

FIGURE 28

Compléter les énoncés ci-dessous

a) $f(-6)$... $f(-3)$... $f(0)$...

$f(4)$... $f(6)$... $\text{Dom} f =$...

b) $\lim_{x \to -\infty} f(x)$ ... $\lim_{x \to +\infty} f(x)$ ...

$\lim_{x \to -3^-} f(x)$ ... $\lim_{x \to -3^+} f(x)$ ...

$\lim_{x \to 0^-} f(x)$ ... $\lim_{x \to 0^+} f(x)$ ...

$\lim_{x \to 4} f(x)$ ... $\lim_{x \to 6} f(x)$ ...

RÉPONSES

a) $f(-6)$ n'est pas définie. $f(-3) = 2$

$f(0)$ n'est pas définie. $f(4)$ n'est pas définie.

$f(6)$ n'est pas définie. $\text{Dom} f = \left]-6, +\infty\right[\setminus \{0,4,6\}$

b) $\lim_{x \to -\infty} f(x)$ n'existe pas. $\lim_{x \to +\infty} f(x) = +\infty$

$$\lim_{x \to -3^-} f(x) = -\infty \qquad \lim_{x \to -3^+} f(x) = 2$$

$$\lim_{x \to 0^-} f(x) = -\infty \qquad \lim_{x \to 0^+} f(x) = +\infty$$

$$\lim_{x \to 4} f(x) \text{ n'existe pas} \qquad \lim_{x \to 6} f(x) = -\infty$$

33. Parmi les fonctions représentées graphiquement à la figure 29 trouver celle(s) qui tend(ent) vers 0 lorsque x tend vers $+\infty$.

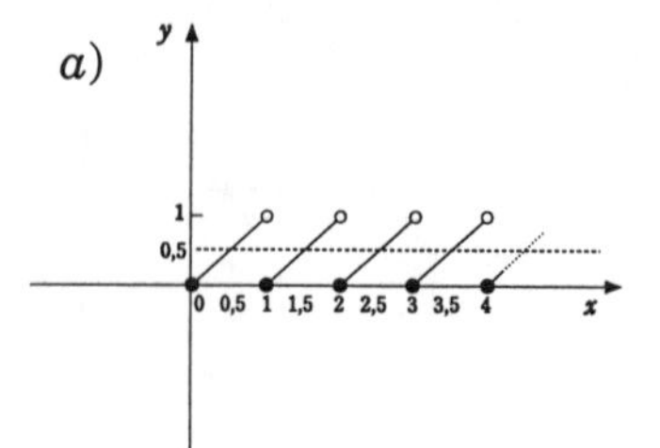

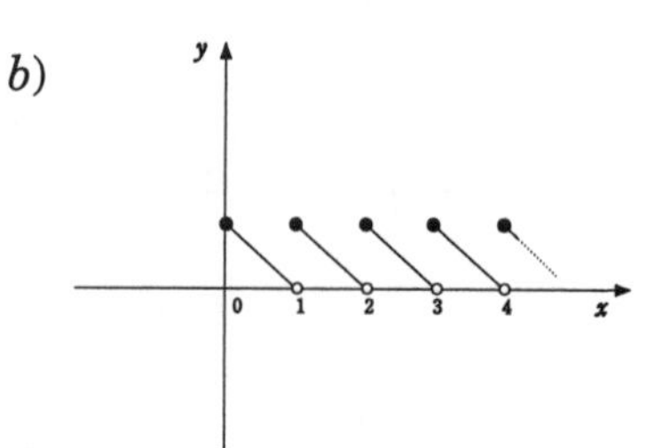

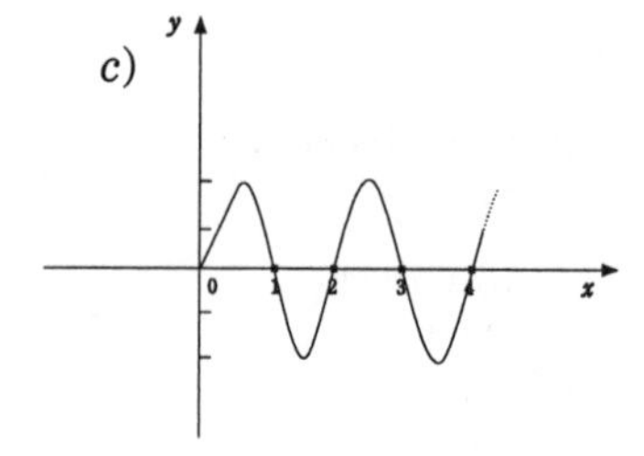

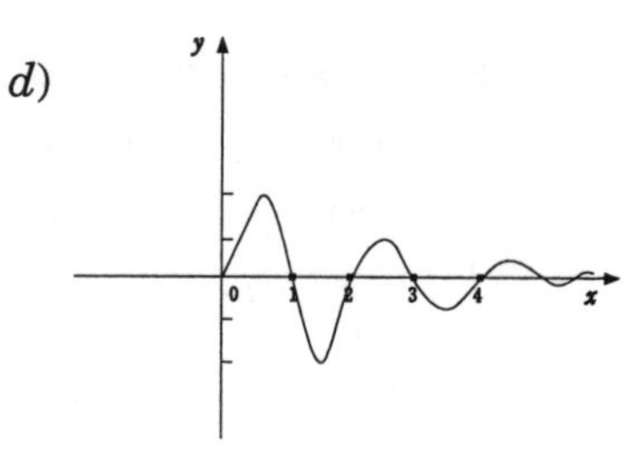

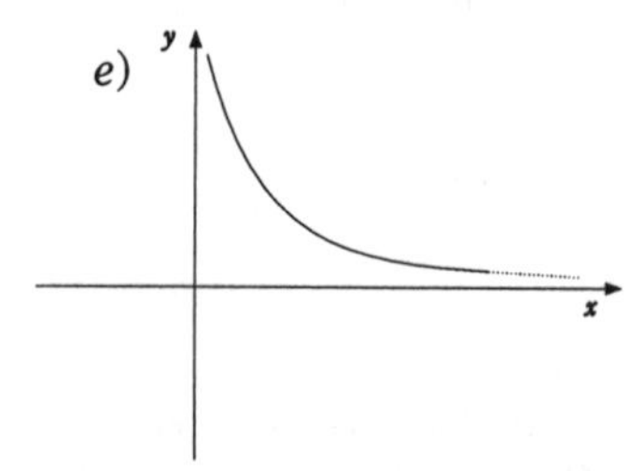

FIGURE 29

SOLUTION

Dressons le tableau de valeurs de la fonction représentée à la figure 29a.

x	$f(x)$
0	0
0,5	0,5
1	0
1,5	0,5
2	0
2,5	0,5
⋮	⋮
100	0
100,5	0,5
⇓	
$+\infty$	

On constate qu'il n'existe aucun nombre unique vers lequel tend $f(x)$ lorsque x tend vers $+\infty$.

Même constatation pour b et c.

RÉPONSE: *d* et *e*.

34. Tracer le graphique d'une fonction qui vérifie les conditions ci-dessous.

a) $\text{Dom} f = R \setminus \{ 0 \}$

b) $f(2) = f(-1) = f(1) = 0$

c) $\lim_{x \to 0} f(x) = +\infty$ et $\lim_{x \to \pm\infty} f(x) = 1$

d) f est discontinue en $x = \pm 1$ par trou et en $x = 2$ par saut

e) f est continue à droite en $x = 2$

SOLUTION ET RÉPONSE

1re étape: Conditions a et b (figure 30).

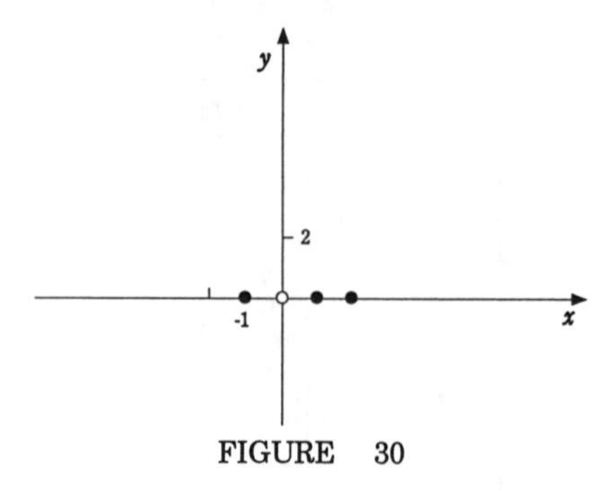

FIGURE 30

2e étape: Condition c (figure 31). Les lignes pointillées indiquent que les deux cas sont possibles.

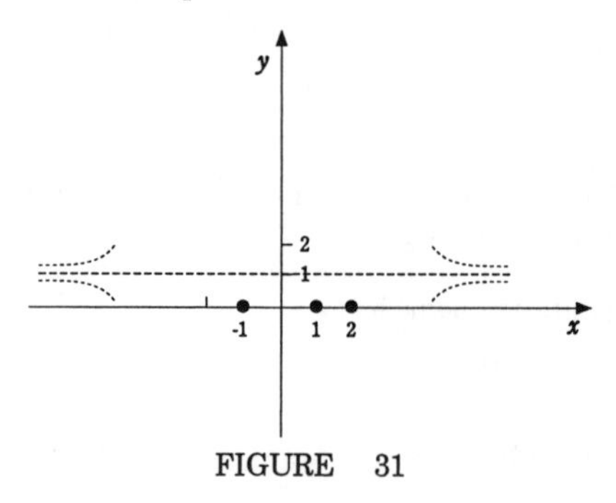

FIGURE 31

3e étape: Conditions d et e (figure 32).

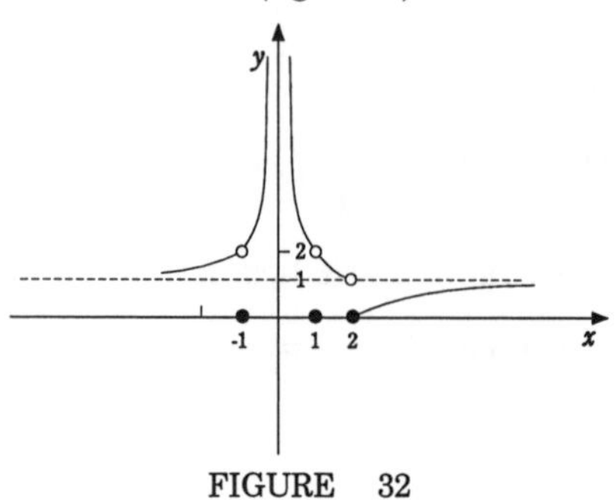

FIGURE 32

RÉSUMÉ SUR LES LIMITES				
	$\lim\limits_{x \to a} f(x)$	**Opération**	$\lim\limits_{x \to a} g(x)$	**Limite résultante**
1.	$+\infty\,(-\infty)$	$+$	$+\infty\,(-\infty)$	$+\infty\,(-\infty)$
2.	k	$+$	$+\infty\,(-\infty)$	$+\infty\,(-\infty)$
3.	$+\infty$	$+$	$-\infty$	forme indéterminée $[\infty - \infty]$
4.	$+\infty$	$\times$	$+\infty\,(-\infty)$	$+\infty\,(-\infty)$
5.	$k > 0$	$\times$	$+\infty\,(-\infty)$	$+\infty\,(-\infty)$
6.	$k < 0$	$\times$	$+\infty\,(-\infty)$	$-\infty\,(+\infty)$
7.	0	$\times$	$\pm\infty$	forme indéterminée $[0 \times \infty]$
8.	k	$\div$	$\pm\infty$	0
9.	$k > 0$	$\div$	$0^+\,(0^-)$	$+\infty\,(-\infty)$
10.	$+\infty\,(-\infty)$	$\div$	$k > 0$	$+\infty\,(-\infty)$
11.	$+\infty\,(-\infty)$	$\div$	$k < 0$	$-\infty\,(+\infty)$
12.	$\pm\infty$	$\div$	$\pm\infty$	forme indéterminée $[\frac{\infty}{\infty}]$
13.	0	$\div$	0	forme indéterminée $[\frac{0}{0}]$

35. Calculer

$a)\ \lim\limits_{x \to +\infty} \dfrac{2x^3 - 10x^2 + 1}{3x^3 - 2x^2 + x - 1}$

$b)\ \lim\limits_{x \to -\infty} \dfrac{x^2 + 2x - 1}{x^3 + x^2}$

$c)\ \lim\limits_{x \to -\infty} \dfrac{x^5 + 2x^4 - 1}{x^2 + 1}$

$d)\ \lim\limits_{x \to +\infty} \dfrac{5x^2 + \sqrt{x^3 + 1}}{2x^2 - x + 1}$

SOLUTION

Pour calculer la limite d'une fonction rationnelle lorsque x tend vers $+\infty$ (ou $-\infty$), il faut mettre en évidence la puissance de x la plus élevée du dénominateur et du numérateur, puis simplifier le facteur commun. Cela change la forme de la limite.

a) $\lim\limits_{x \to +\infty} \dfrac{2x^3 - 10x^2 + 1}{3x^3 - 2x^2 + x - 1}$ forme indéterminée $[\frac{\infty}{\infty}]$

$$= \lim_{x \to +\infty} \frac{x^3 (2 - 10/x + 1/x^3)}{x^3 (3 - 2/x + 1/x^2 - 1/x^3)}$$

$$= \lim_{x \to +\infty} \frac{2 - \underbrace{10/x}_{\to 0} + \underbrace{1/x^3}_{\to 0}}{3 - \underbrace{2/x}_{\to 0} + \underbrace{1/x^2}_{\to 0} - \underbrace{1/x^3}_{\to 0}} = \frac{2}{3}$$

b) $\lim\limits_{x \to -\infty} \dfrac{x^2 + 2x - 1}{x^3 + x^2}$ forme indéterminée $[\frac{\infty}{\infty}]$

$$= \lim_{x \to -\infty} \frac{x^2 (1 + 2/x - 1/x^2)}{x^3 (1 + 1/x)}$$

$$= \lim_{x \to -\infty} \frac{1 + 2/x - 1/x^2}{x (1 + 1/x)} = \lim_{x \to -\infty} \frac{1}{x} = 0$$

c) $\lim\limits_{x \to -\infty} \dfrac{x^5 + 2x^4 - 1}{x^2 + 1}$ forme indéterminée $[\frac{\infty}{\infty}]$

$$= \lim_{x \to -\infty} \frac{x^5 (1 + 2/x - 1/x^5)}{x^2 (1/x^2 - 1)}$$

$$= \lim_{x \to -\infty} \frac{x^3 (1 + 2/x - 1/x^5)}{1/x^2 - 1} = \lim_{x \to -\infty} x^3 \times (-1) = +\infty$$

d) $\lim\limits_{x \to +\infty} \dfrac{5x^2 + \sqrt{x^3 + 1}}{2x^2 - x + 1}$ forme indéterminée $[\frac{\infty}{\infty}]$

$$= \lim_{x \to +\infty} \frac{x^2 \left(5 + \frac{\sqrt{x^3+1}}{x^2}\right)}{x^2 \left(2 - 1/x + 1/x^2\right)}$$

$$= \lim_{x \to +\infty} \frac{5 + \sqrt{\frac{x^3+1}{x^4}}}{2 - 1/x + 1/x^2} \qquad \text{(parce que } \sqrt{x^4} = x^2\text{)}$$

$$= \lim_{x \to +\infty} \frac{5 + \sqrt{1/x + 1/x^4}}{2 - 1/x + 1/x^2} = \frac{5}{2}$$

RÉPONSES

a) $\lim\limits_{x \to +\infty} \dfrac{2x^3 - 10x^2 + 1}{3x^3 - 2x^2 + x - 1} = \dfrac{2}{3}$

b) $\lim\limits_{x \to -\infty} \dfrac{x^2 + 2x - 1}{x^3 + x^2} = 0$

c) $\lim\limits_{x \to -\infty} \dfrac{x^5 + 2x^4 - 1}{x^2 + 1} = +\infty$

d) $\lim\limits_{x \to +\infty} \dfrac{5x^2 + \sqrt{x^3 + 1}}{2x^2 - x + 1} = \dfrac{5}{2}$

36. Calculer

a) $\lim\limits_{x \to +\infty} [x^5 - (1000\,x)^4]$

b) $\lim\limits_{x \to +\infty} (\sqrt{4x^2 + 2x} - 2x)$

c) $\lim\limits_{x \to -\infty} (\sqrt[3]{x+1} + \sqrt[3]{1-x})$

d) $\lim\limits_{x \to -\infty} (\sqrt{x^2 + x + 1} + x)$

e) $\lim\limits_{x \to -\infty} (x + \sqrt[3]{1 - x^3})$

SOLUTION

a) $\lim\limits_{x \to +\infty} [x^5 - (1000\,x)^4]$ forme indéterminée $[\infty - \infty]$

$$= \lim_{x \to +\infty} x^5 \left[\frac{1 - 1000^4}{x}\right] = +\infty$$

b) $\lim\limits_{x \to +\infty} (\sqrt{4x^2 + 2x} - 2x)$ forme indéterminée $[\infty - \infty]$

$$= \lim_{x \to +\infty} (\sqrt{4x^2 + 2x} - 2x) \times \frac{\sqrt{4x^2 + 2x} + 2x}{\sqrt{4x^2 + 2x} + 2x}$$

$$= \lim_{x \to +\infty} \frac{2x}{\sqrt{4x^2 + 2x} + 2x}$$

$$= \lim_{x \to +\infty} \frac{2x}{x\,(\sqrt{4 + 2/x} + 2)}$$

$$= \lim_{x \to +\infty} \frac{2}{\sqrt{4 + 2/x} + 2} = \frac{1}{2}$$

$\sqrt{x^2} = x$ pour les valeurs positives (x tend vers $+\infty$).

c) $\lim\limits_{x \to -\infty} (\sqrt[3]{x+1} + \sqrt[3]{1-x})$ forme indéterminée $[\infty - \infty]$

$$= \lim_{x \to -\infty} (\sqrt[3]{x+1} + \sqrt[3]{1-x}) \times$$

$$\frac{(\sqrt[3]{x+1})^2 - \sqrt[3]{x+1}\ \sqrt[3]{1-x} + (\sqrt[3]{1-x})^2}{(\sqrt[3]{x+1})^2 - \sqrt[3]{x+1}\ \sqrt[3]{1-x} + (\sqrt[3]{1-x})^2}$$

$$= \lim_{x \to -\infty} \frac{(\sqrt[3]{x+1})^3 + (\sqrt[3]{1-x})^3}{(\sqrt[3]{x+1})^2 - \sqrt[3]{(x+1)(1-x)} + (\sqrt[3]{1-x})^2}$$

$$= \lim_{x \to -\infty} \{\frac{2}{(\sqrt[3]{x+1})^2 - \sqrt[3]{1-x^2} + (\sqrt[3]{1-x})^2} = \frac{2}{+\infty} = 0$$

d) $\lim\limits_{x \to -\infty} (\sqrt{x^2 + x + 1} + x)$ forme indéterminée $[\infty - \infty]$

$$= \lim_{x \to -\infty} (\sqrt{x^2+x+1} + x) \times \frac{\sqrt{x^2+x+1} - x}{\sqrt{x^2+x+1} - x}$$

$$= \lim_{x \to -\infty} \frac{x+1}{\sqrt{x^2+x+1} - x}$$ forme indéterminée $[\frac{\infty}{\infty}]$

$$= \lim_{x \to -\infty} \frac{x\,(1+ {}^1\!/_x)}{-x\,(\sqrt{1 + {}^1\!/_x + {}^1\!/_{x^2}} + 1} = -\frac{1}{2}$$

$\sqrt{x^2} = -x$ pour les valeurs négatives (x tend vers $-\infty$).

e) Cette limite est de la forme déterminée $[-\infty - \infty]$ (voir tableau p. 59). Donc,

$$\lim_{x \to -\infty} (x - \sqrt[3]{1 - x^3}) = -\infty.$$

Avant de calculer la limite d'une fonction, il faut toujours examiner sa forme.

RÉPONSES

a) $\lim_{x \to +\infty} \left[x^5 - (1000\,x)^4\right] = +\infty$

b) $\lim_{x \to +\infty} (\sqrt{4x^2 + 2x} - 2x) = \frac{1}{2}$

c) $\lim_{x \to -\infty} (\sqrt[3]{x+1} + \sqrt[3]{1-x}) = 0$

d) $\lim_{x \to -\infty} (\sqrt{x^2+x+1} + x) = -\frac{1}{2}$

e) $\lim_{x \to -\infty} (x - \sqrt[3]{1 - x^3}) = -\infty$

37. Calculer

a) $\lim\limits_{x \to 2} \left(\frac{1}{x-2} - \frac{1}{x^2 - 3x + 2} \right)$

b) $\lim\limits_{x \to 1} \left(\frac{1}{1-x^2} - \frac{2}{1-x^3} \right)$

c) $\lim\limits_{x \to 1} \left(\frac{1}{x^2-1} - \frac{1}{1-x^3} \right)$

SOLUTION

a) Examinons la forme de la limite à gauche et à droite. On a

$\lim\limits_{x \to 2^-} \left(\frac{1}{x-2} - \frac{1}{x^2 - 3x + 2} \right) = \frac{1}{0^-} - \frac{1}{0^-}$ forme indéterminée $[\infty - \infty]$

et $\lim\limits_{x \to 2^+} \left(\frac{1}{x-2} - \frac{1}{x^2 - 3x + 2} \right) = \frac{1}{0^+} - \frac{1}{0^+}$

forme indéterminée $[\infty - \infty]$

Donc, $\lim\limits_{x \to 2} \left(\frac{1}{x-2} - \frac{1}{x^2 - 3x + 2} \right)$ forme indéterminée $[\infty - \infty]$.

On a $\lim\limits_{x \to 2} \left(\frac{1}{x-2} - \frac{1}{x^2 - 3x + 2} \right) = \lim\limits_{x \to 2} \frac{x-1-1}{(x-2)(x-1)}$

$= \lim\limits_{x \to 2} \frac{1}{x-1} = 1$

b) Examinons la forme de la limite. On a

$\lim\limits_{x \to 1^-} \left(\frac{1}{1-x^2} - \frac{2}{1-x^3} \right) = \frac{1}{0^+} - \frac{2}{0^+}$ forme indéterminée $[\infty - \infty]$

et $\lim\limits_{x \to 1^+} \left(\frac{1}{1-x^2} - \frac{2}{1-x^3} \right) = \frac{1}{0^-} - \frac{2}{0^-}$ forme indéterminée $[\infty - \infty]$

Donc, $\lim\limits_{x \to 1} \left(\frac{1}{1-x^2} - \frac{2}{1-x^3} \right)$ forme indéterminée $[\infty - \infty]$.

On a $\lim\limits_{x \to 1} \left(\dfrac{1}{1-x^2} - \dfrac{2}{1-x^3}\right)$

$= \lim\limits_{x \to 1} \left[\dfrac{1}{(1-x)(1+x)} - \dfrac{2}{(1-x)(1+x+x^2)}\right]$

$= \lim\limits_{x \to 1} \dfrac{x^2-x-1}{(1-x)(1+x)(1+x+x^2)}$ forme déterminée $[\frac{-1}{0}]$

Mais $\lim\limits_{x \to 1^-} \dfrac{x^2-x-1}{(1-x)(1+x)(1+x+x^2)} = \dfrac{-1}{0^+} = -\infty$

et $\lim\limits_{x \to 1^+} \dfrac{x^2-x-1}{(1-x)(1+x)(1+x+x^2)} = \dfrac{-1}{0^+} = +\infty$

Les limites à gauche et à droite sont différentes.Donc,

$\lim\limits_{x \to 1} \left(\dfrac{1}{1-x^2} - \dfrac{2}{1-x^3}\right)$ n'existe pas.

c) La forme de cette limite est déterminée. En effet:

$\lim\limits_{x \to 1^-} \left(\dfrac{1}{x^2-1} - \dfrac{1}{1-x^3}\right) = \dfrac{1}{0^-} - \dfrac{1}{0^+} = -\infty$

et $\lim\limits_{x \to 1^+} \left(\dfrac{1}{x^2-1} - \dfrac{1}{1-x^3}\right) = \dfrac{1}{0^+} - \dfrac{1}{0^-} = +\infty$

Les limites à gauche et à droite sont différentes. Donc,

$\lim\limits_{x \to 1} \left(\dfrac{1}{x^2-1} - \dfrac{1}{1-x^3}\right)$ n'existe pas.

RÉPONSES

a) $\lim\limits_{x \to 2} \left(\dfrac{1}{x-2} - \dfrac{1}{x^2-3x+2}\right) = 1$

b) $\lim\limits_{x \to 1} \left(\dfrac{1}{1-x^2} - \dfrac{2}{1-x^3}\right)$ n'existe pas.

c) $\lim\limits_{x \to 1} \left(\dfrac{1}{x^2-1} - \dfrac{1}{1-x^3}\right)$ n'existe pas.

38. Calculer

$$a)\ \lim_{x \to -\infty} x^2 \sqrt{\frac{1}{x^4 - x^2}}$$

$$b)\ \lim_{x \to -\infty} x \sqrt{\frac{1}{x^2 - x + 2}}$$

$$c)\ \lim_{x \to -\infty} x \sqrt{\frac{1}{25 - x^3}}$$

$$d)\ \lim_{x \to +\infty} \frac{x^2 + 2}{x^2 - 2} \sqrt{\frac{1}{x^2 + 25}}$$

SOLUTION

$$a)\ \lim_{x \to -\infty} x^2 \sqrt{\frac{1}{x^4 - x^2}}$$ forme indéterminée $[\infty \times 0]$

$$= \lim_{x \to -\infty} \frac{x^2}{x^2} \sqrt{\frac{1}{1 - 1/x^2}}$$

$$= \lim_{x \to -\infty} \sqrt{\frac{1}{1 - 1/x^2}} = 1$$

$$b)\ \lim_{x \to -\infty} x \sqrt{\frac{1}{x^2 - x + 2}}$$ forme indéterminée $[\infty \times 0]$

$$= \lim_{x \to -\infty} \frac{x}{-x} \sqrt{\frac{1}{1 - 1/x + 2/x^2}}$$

$$= \lim_{x \to -\infty} -1 \sqrt{\frac{1}{1 - 1/x + 2/x^2}} = -1$$

$$c)\ \lim_{x \to -\infty} x \sqrt{\frac{1}{25 - x^3}}$$ forme indéterminée $[\infty \times 0]$

$$= \lim_{x \to -\infty} \frac{x}{-x} \sqrt{\frac{1}{25/x^2 - x}}$$

$$= \lim_{x \to -\infty} -1 \sqrt{\frac{1}{25/x^2 - x}} = -1 \times \sqrt{0^+} = 0$$

d) Le 1er facteur est de la forme indéterminée $[\frac{\infty}{\infty}]$.

$$\lim_{x \to +\infty} \frac{x^2 + 2}{x^2 - 2} \sqrt{\frac{1}{x^2 + 25}}$$

$$= \lim_{x \to +\infty} \frac{x^2 (1 + 2/x^2)}{x^2 (1 - 2/x^2)} \sqrt{\frac{1}{x^2 + 25}}$$

$$= \lim_{x \to +\infty} \frac{1 + 2/x^2}{1 - 2/x^2} \sqrt{\frac{1}{x^2 + 25}} = 1 \times \sqrt{0^+} = 0$$

RÉPONSES

a) $\lim_{x \to -\infty} x^2 \sqrt{\frac{1}{x^4 - x^2}} = 1$

b) $\lim_{x \to -\infty} x \sqrt{\frac{1}{x^2 - x + 2}} = -1$

c) $\lim_{x \to -\infty} x \sqrt{\frac{1}{25 - x^3}} = 0$

d) $\lim_{x \to +\infty} \frac{x^2 + 2}{x^2 + 2} \sqrt{\frac{1}{x^2 + 25}} = 0$

39. Associer chaque énoncé à sa définition formelle.

ÉNONCÉS

1. $\lim_{x \to +\infty} f(x) = L$
2. $\lim_{x \to a^+} f(x) = -\infty$
3. $\lim_{x \to -\infty} f(x) = L$
4. $\lim_{x \to a^-} f(x) = -\infty$

5. $\lim_{x \to a} f(x) = +\infty$

6. $\lim_{x \to +\infty} f(x) = +\infty$

7. $\lim_{x \to a} f(x) = -\infty$

8. $\lim_{x \to -\infty} f(x) = +\infty$

DÉFINITIONS

a) $\forall M > 0 \, \exists K > 0 \, \forall x \in \text{Dom} f \;\; x > K \Rightarrow f(x) > M$

b) $\forall \varepsilon > 0 \, \exists K > 0 \, \forall x \in \text{Dom} f \; x > K \Rightarrow |f(x) - L| < \varepsilon$

c) $\forall M > 0 \, \exists \delta > 0 \, \forall x \in \text{Dom} f \; 0 < |x - a| < \delta \Rightarrow f(x) > M$

d) $\forall M < 0 \, \exists \delta > 0 \, \forall x \in \text{Dom} f - \delta < x - a < 0 \Rightarrow f(x) < M$

e) $\forall M > 0 \, \exists K < 0 \, \forall x \in \text{Dom} f \; x < K \Rightarrow f(x) > M$

f) $\forall \varepsilon > 0 \, \exists K < 0 \, \forall x \in \text{Dom} f \; x < K \Rightarrow |f(x) - L| < \varepsilon$

g) $\forall M < 0 \, \exists \delta > 0 \, \forall x \in \text{Dom} f \; 0 < x - a < \delta \Rightarrow f(x) < M$

h) $\forall M < 0 \, \exists \delta > 0 \, \forall x \in \text{Dom} f \; 0 < |x - a| < \delta \Rightarrow f(x) < M$

SOLUTION

Dans la définition formelle de la limite, il est question de voisinage. Donc, pour bien associer les notions avec leurs descriptions, il faut écrire les voisinages sous forme d'inégalités. On obtient

$x \in V_0(a) \Leftrightarrow 0 < |x - a| < \delta$ $\quad$ $f(x) \in V(L) \Leftrightarrow |f(x) - L| < \varepsilon$

$x \in V^+(a) \Leftrightarrow 0 < x - a < \delta$ $\quad$ $f(x) \in V(+\infty) \Leftrightarrow f(x) > M$

$x \in V^-(a) \Leftrightarrow -\delta < x - a < 0$ $\quad$ $f(x) \in V(-\infty) \Leftrightarrow f(x) < M$

$x \in V(+\infty) \Leftrightarrow x > K$

$x \in V(-\infty) \Leftrightarrow x < K$

RÉPONSES

1 et *b* ; 2 et *g* ; 3 et *f* ; 4 et *d* ;
5 et *c* ; 6 et *a* ; 7 et *h* ; 8 et *e*.

40. À l'aide de la définition formelle de la limite, démontrer que

a) $\lim_{x \to +\infty} \frac{5}{\sqrt{x-2}} = 0$

b) $\lim_{x \to 2^-} \frac{5}{x-2} = -\infty$

c) $\lim_{x \to 0} \frac{5}{x^2} = +\infty$

SOLUTIONS ET RÉPONSES

a) Soit $\varepsilon > 0$ et $V_\varepsilon(0) =]-\varepsilon, \varepsilon[$ un voisinage de la limite $L = 0$. Alors, $f(x) \in V_\varepsilon(0)$ si et seulement si $|f(x) - 0| < \varepsilon$

si et seulement si $\left|\frac{5}{\sqrt{x-2}} - 0\right| < \varepsilon$

si et seulement si $x > \frac{25}{\varepsilon^2} + 2 = K$

Le nombre $K = \frac{25}{\varepsilon^2} + 2$ est associée à $\varepsilon > 0$.

Donc, $\lim_{x \to +\infty} \frac{5}{\sqrt{x-2}} = 0$

b) Soit $M < 0$ un nombre réel et $V(-\infty) =]-\infty, M[$ un voisinage de l'infini négatif. Alors,

$f(x) \in V(-\infty)$ si et seulement si $f(x) < M$

si et seulement si $\frac{5}{x-2} < M < 0$

si et seulement si $\frac{5}{M} < x - 2 < 0$.

Le nombre $\delta = \left|\frac{5}{M}\right|$ est associée à $M < 0$.

Donc, $\forall M < 0 \; \exists \delta = \left|\frac{5}{M}\right|$ tel que si $-\delta < x - 2 < 0$,

alors $\frac{5}{x-2} < M$.

Donc, $\lim\limits_{x \to 2^-} \dfrac{5}{x-2} = -\infty$

c) Soit $M > 0$ un nombre réel et $V(+\infty) =]\, M\, , +-\infty\, [$ un voisinage de l'infini positif. Alors,

$f(x) \in V(+\infty)$ si et seulement si $f(x) > M$

si et seulement si $\dfrac{5}{x^2} > M$

si et seulement si $|\, x\, | < \sqrt{\dfrac{5}{M}}$

Le nombre $\delta = \sqrt{\dfrac{5}{M}}$ est associée à $M > 0$.

Alors, quelle que soit la valeur de $M > 0$, on peut trouver $\delta = \sqrt{\dfrac{5}{M}}$ tel que si $0 < |x| < \delta$, alors $\dfrac{5}{x^2} > M$.

Donc, $\lim\limits_{x \to 0} \dfrac{5}{x^2} = +\infty$.

6 ASYMPTOTES

- **DÉFINITION D'UNE ASYMPTOTE:** Soit une droite D et une courbe C (figure 33).

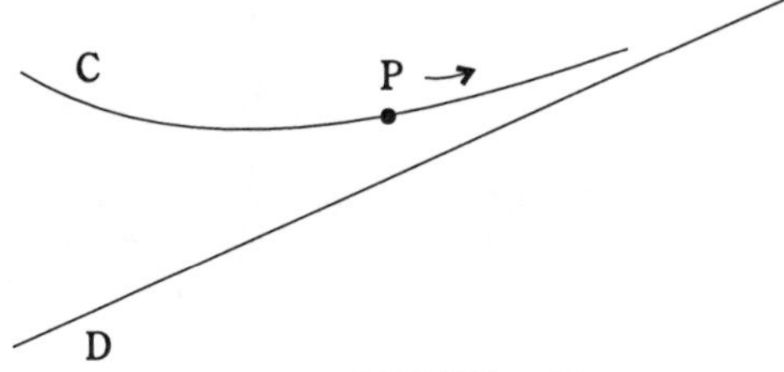

FIGURE 33

Par définition, la droite D est une asymptote de la courbe C si un point P, en se déplaçant sur C dans un sens donné et en s'éloignant à l'infini, s'approche de plus en plus de la droite D.

- La droite $y = k$ (figure 34) est une asymptote horizontale de la fonction f, si et seulement si

$\lim_{x \to +\infty} f(x) = k$ ou $\lim_{x \to -\infty} f(x) = k$

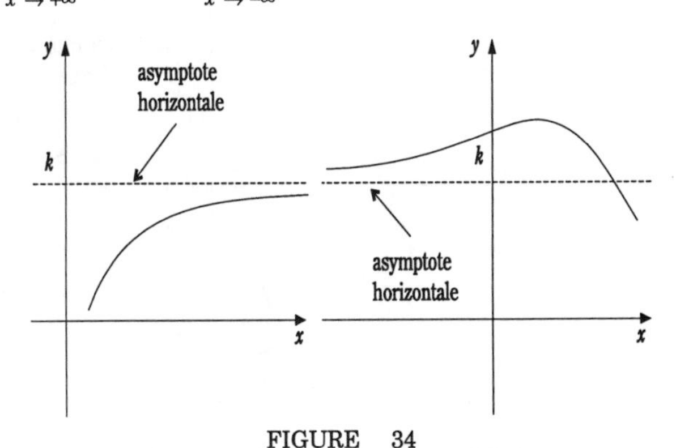

FIGURE 34

- La droite $x = a$ (figure 35) est une asymptote verticale de la fonction f, si et seulement si
$\lim_{x \to a+} f(x) = +\infty$, ou $\lim_{x \to a+} f(x) = -\infty$ ou
$\lim_{x \to a-} f(x) = +\infty$ ou bien $\lim_{x \to a-} f(x) = -\infty$

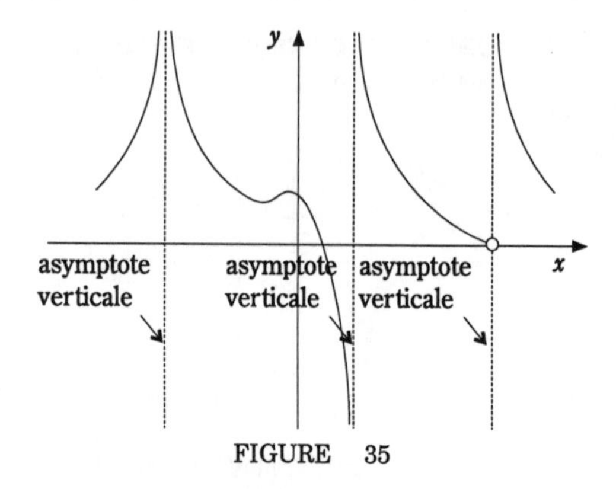

FIGURE 35

- La droite $y = mx + b$ (figure 36) est une asymptote oblique de la fonction f, si et seulement si
$\lim_{x \to +\infty} (f(x) - mx - b) = 0$ ou $\lim_{x \to -\infty} (f(x) - mx - b) = 0$.

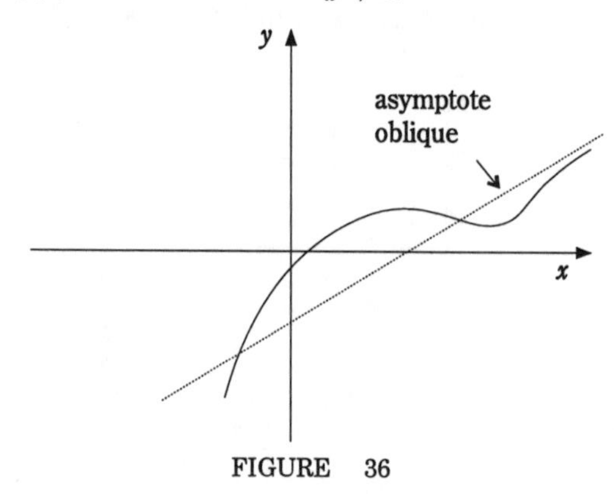

FIGURE 36

Exercices

41. Associer l'énoncé « la droite $x = a$ est l'asymptote de la fonction f » à une des expressions ci-dessous.

a) $\lim\limits_{x \to +\infty} f(x) = a$

b) $\lim\limits_{x \to a} f(x) = f(a)$

c) $\lim\limits_{x \to a} f(x) = +\infty$

RÉPONSE : *c*.

42. À chaque fonction représentée graphiquement à la figure 37

A)

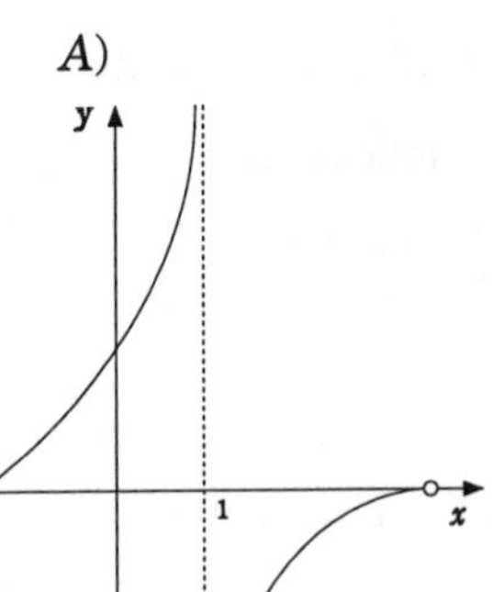

B)

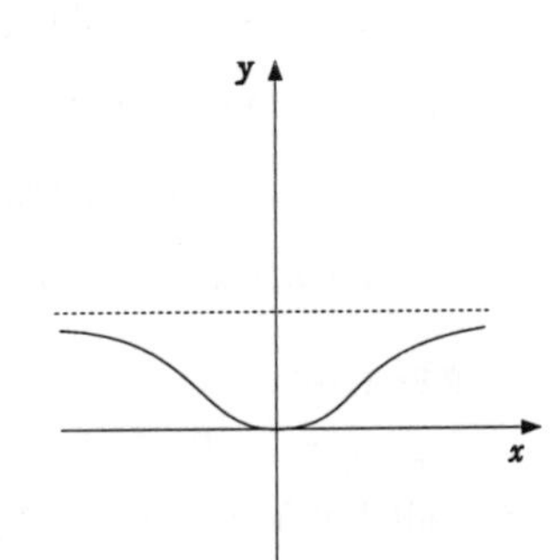

C)

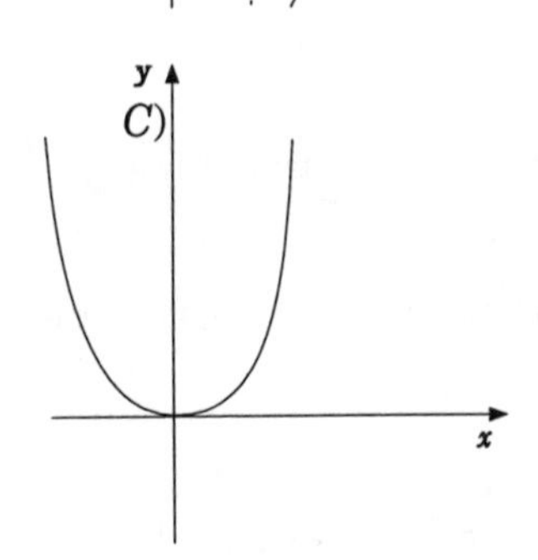

D)

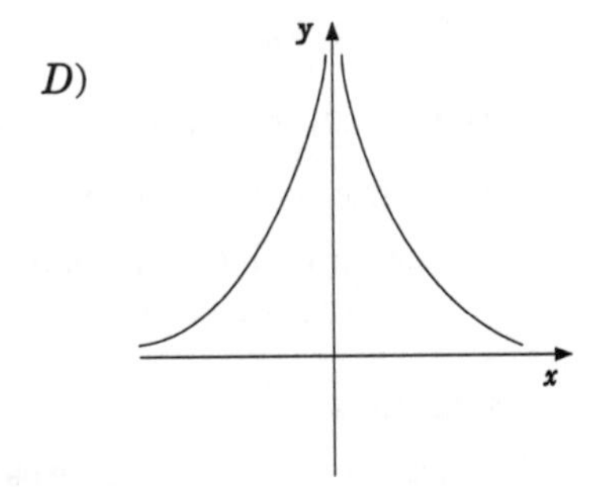

FIGURE 37

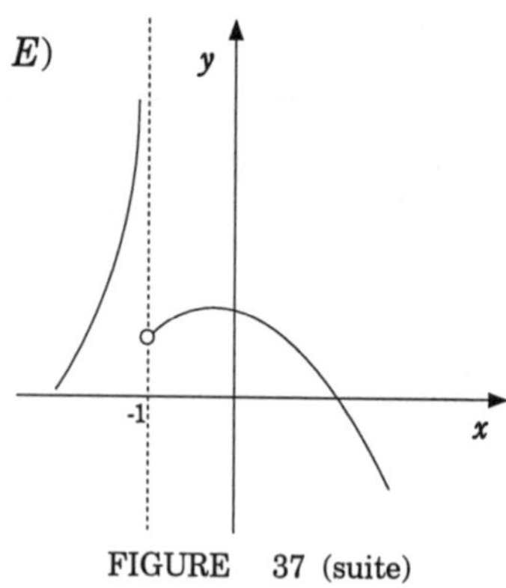

FIGURE 37 (suite)

associer un des énoncés ci-dessous.

a) La fonction n'a aucune asymptote.

b) La droite $x = 1$ est l'asymptote verticale de cette fonction.

c) La droite $x = -1$ est l'asymptote verticale de cette fonction.

d) Les axes sont les asymptotes de cette fonction.

e) La fonction a une seule asymptote.

RÉPONSES

A et b; B et e; C et a; D et d; E et c.

43. Soit *f* la fonction définie par

$$f(x) = \frac{x^2 + x - 6}{x^3 - 3x^2 + 2x}$$

a) Déterminer les points de discontinuité et nommer son type.

b) Déterminer les asymptotes verticales.

c) Calculer les limites à l'infini et déterminer les asymptotes horizontales s'il y a lieu.

SOLUTIONS

a) La fonction f est continue partout sur R sauf pour $x = 0$, $x = 1$ et $x = 2$ qui annulent le dénominateur.

Soit $x = 0$

On a $\lim\limits_{x \to 0^+} \dfrac{x^2 + x - 6}{x^3 - 3x^2 + 2x} = \dfrac{-6}{0^-} = +\infty$

et $\lim\limits_{x \to 0^-} \dfrac{x^2 + x - 6}{x^3 - 3x^2 + 2x} = \dfrac{-6}{0^+} = -\infty$

Donc, la fonction f est discontinue par fuite à l'infini en $x = 0$.

Soit $x = 1$

On a $\lim\limits_{x \to 1^-} \dfrac{x^2 + x - 6}{x^3 - 3x^2 + 2x} = \dfrac{-4}{0^+} = -\infty$

et $\lim\limits_{x \to 1^+} \dfrac{x^2 + x - 6}{x^3 - 3x^2 + 2x} = \dfrac{-4}{0^-} = +\infty$

Donc, la fonction f est discontinue par fuite à l'infini en $x = 1$

Soit $x = 2$.

On a $\lim\limits_{x \to 2} \dfrac{x^2 + x - 6}{x^3 - 3x^2 + 2x} =$ forme indétertinée $[\frac{0}{0}]$

$$\lim_{x \to 2} \frac{\cancel{(x-2)}\,(x+3)}{\cancel{(x-2)}\,(x-1)\,x} = \frac{5}{2}$$

Donc, la fonction f est discontinue par trou en $x = 2$

b) La droite $x = 0$ est l'asymptote verticale, parce que

$\lim\limits_{x \to 0^-} f(x) = +\infty$ et $\lim\limits_{x \to 0^-} f(x) = -\infty$

Pour la même raison, la droite $x = 1$ est une asymptote verticale.

La droite $x = 2$ n'est pas une asymptote verticale parce que la limite de f en $x = 2$ n'est pas infinie.

c) $\lim\limits_{x \to \pm\infty} \dfrac{x^2 + x - 6}{x^3 - 3x^2 + 2x} = \lim\limits_{x \to \pm\infty} \dfrac{x^2\,(1 + 1/x - 6/x^2)}{x^3\,(1 - 3/x + 2/x^2)}$

$= \lim\limits_{x \to \pm\infty} \dfrac{1 + 1/x - 6/x^2}{x\,(1 - 3/x + 2/x^2)} = \dfrac{1}{\infty} = 0$

Donc, la droite $y = 0$ est l'asymptote horizontale de la fonction f à l'infini positif et à l'infini négatif.

RÉPONSES

a) Discontinuité par fuite à l'infini en $x = 0$
Discontinuité par fuite à l'infini en $x = 1$
Discontinuité par trou en $x = 2$

b) Asymptotes verticales: $x = 0$ et $x = 1$

c) $\lim_{x \to +\infty} f(x) = \lim_{x \to -\infty} f(x) = 0$
Asymptote horizontale: $y = 0$

44. Trouver les asymptotes de la fonction *f* définie par

a) $f(x) = 3x + \frac{1}{x} + 2$

b) $f(x) = \frac{x^3}{x^2 - 1}$

c) $f(x) = \frac{x^2 + x - 1}{x + 1}$

SOLUTIONS

a) f admet une discontinuité en $x = 0$

On a $\lim_{x \to 0^+} (3x + \frac{1}{x} + 2) = +\infty$

et $\lim_{x \to 0^-} (3x + \frac{1}{x} + 2) = -\infty$

Donc, la droite $x = 0$ est l'asymptote verticale de f.

Si f peut être mise sous la forme
$f(x) = mx + b + g(x)$ où $\lim_{x \to \pm\infty} g(x) = 0$,
alors la droite $y = mx + b$ est une asymptote oblique de f.

La fonction f est définie par $f(x) = 3x + 2 + \frac{1}{x}$ où

$$\lim_{x \to \pm\infty} \frac{1}{x} = 0$$

Donc, la droite $y = 3x + 2$ est l'asymptote oblique de f.

b) La fonction est discontinue en $x = 1$ et $x = -1$. De plus,

$$\lim_{x \to 1^-} \frac{x^3}{x^2 - 1} = \frac{1}{0^-} = -\infty$$

$$\lim_{x \to 1^+} \frac{x^3}{x^2 - 1} = \frac{1}{0^+} = +\infty \text{ et}$$

$$\lim_{x \to -1^-} \frac{x^3}{x^2 - 1} = \frac{-1}{0^+} = -\infty$$

$$\lim_{x \to -1^+} \frac{x^3}{x^2 - 1} = \frac{-1}{0^-} = +\infty$$

Donc, les droites $x = -1$ et $x = 1$ sont les asymptôtes verticales de f.

Pour présenter f sous la forme $mx + b + g(x)$, il faut effectuer la division.

Par conséquent,

$$f(x) = \frac{x^3}{x^2 - 1} = x + \frac{x}{x^2 - 1} \text{ et } \lim_{x \to \pm\infty} \frac{x}{x^2 - 1} = 0.$$

Donc, la droite $y = x$ est l'asymptote oblique de f.

c) f est discontinue en $x = -1$. De plus,

$$\lim_{x \to -1^-} \frac{x^2 + 2x - 1}{x + 1} = \frac{-2}{0^-} = +\infty \text{ et}$$

$$\lim_{x \to -1^+} \frac{x^2 + 2x - 1}{x + 1} = \frac{-2}{0^+} = -\infty$$

Donc, la droite $x = -1$ est l'asymptote verticale de f.

Divisons $x^2 + 2x + 1$ par $x + 1$. On obtient

$$f(x) = x + 1 + \frac{-2}{x+1} \text{ où } \lim_{x \to \pm\infty} \frac{-2}{x+1} = 0.$$

Donc, la droite $y = x + 1$ est l'asymptote oblique de f.

REMARQUE On a une asymptote oblique si le degré du polynôme au numérateur est supérieur de 1 à celui du polynôme au dénominateur.

RÉPONSES

a) $x = 0$: asymptote verticale
   $y = 3x + 2$: asymptote oblique

b) $x = -1$: asymptote verticale
   $x = 1$: asymptote verticale
   $y = x$: asymptote oblique

c) $x = -1$: asymptote verticale
   $y = x + 1$: asymptôte oblique

REMARQUE Les coefficients m et b d'une asymptote oblique sont donnés par les formules:

$$m = \lim_{x \to \pm\infty} \frac{f(x)}{x} \quad \text{et} \quad b = \lim_{x \to \pm\infty} (f(x) - mx)$$

45. Trouver les équations des asymptotes de la fonction f définie par

$$f(x) = \sqrt[3]{x^3 + 1}$$

SOLUTION

Dom $f = R$. Donc, on peut faire tendre x vers $+\infty$ et $-\infty$.

D'après les formules, on a

$$m = \lim_{x \to +\infty} \frac{\sqrt[3]{x^3+1}}{x} = \lim_{x \to +\infty} \frac{x\sqrt[3]{1 + 1/x^3}}{x} = \lim_{x \to +\infty} \sqrt[3]{1 + 1/x^3} = 1$$

$$\text{et } b = \lim_{x \to +\infty} (\sqrt[3]{x^3+1} - x)$$

$$= \lim_{x \to +\infty} (\sqrt[3]{x^3+1} - x) \times \frac{(\sqrt[3]{x^3+1})^2 + x\sqrt[3]{x^3+1} + x^2}{(\sqrt[3]{x^3+1})^2 + x\sqrt[3]{x^3+1} + x^2}$$

$$= \lim_{x \to +\infty} \frac{(\sqrt[3]{x^3+1})^3 - x^3}{(\sqrt[3]{x^3+1})^2 + x\sqrt[3]{x^3+1} + x^2}$$

$$= \lim_{x \to +\infty} \frac{1}{(\sqrt[3]{x^3+1})^2 + x\sqrt[3]{x^3+1} + x^2} = \frac{1}{\infty} = 0$$

Le cas où $x \to -\infty$ se traite de façon similiaire.

RÉPONSE

La droite $y = x$ est l'asymptote oblique de f lorsque $x \to \pm\infty$

CHAPITRE

Dérivée

Vous devez savoir:

- définir intuitivement la dérivée d'une fonction;
- faire le lien entre la pente de la tangente et la dérivée;
- calculer la dérivée à l'aide de plusieurs techniques de dérivation;
- appliquer les formules de dérivation dans le calcul.

1 PENTE DE LA TANGENTE

À RETENIR

- **DÉFINITION D'UNE SÉCANTE :** On appelle sécante toute droite qui coupe le graphique d'une fonction en au moins un point (figure 38 a et b).

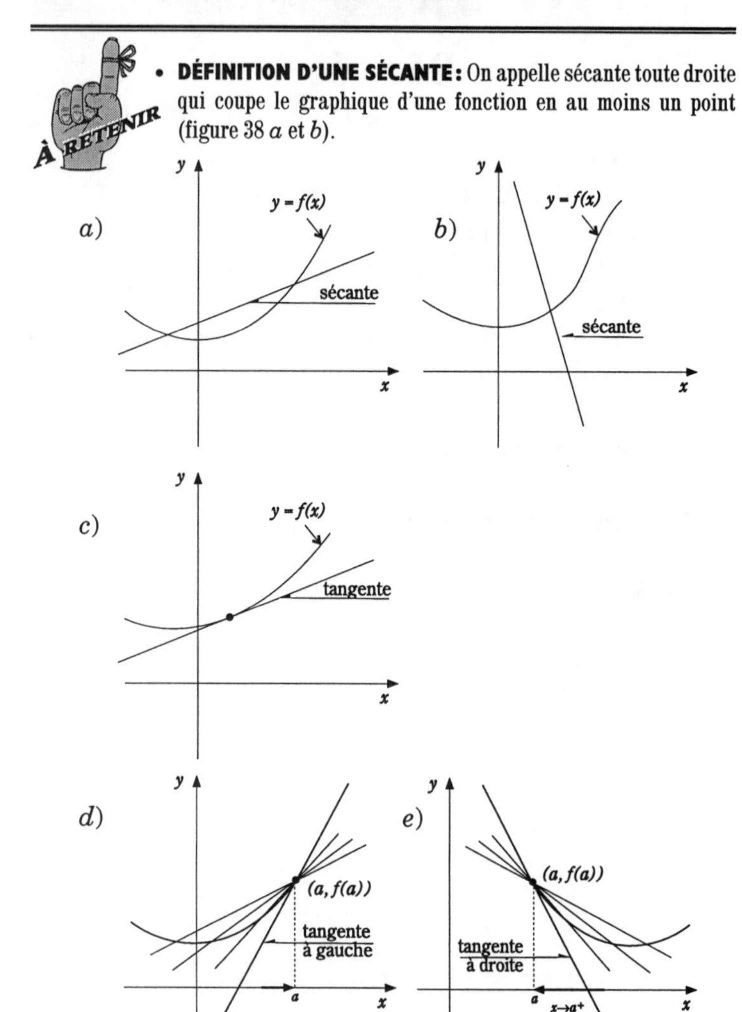

FIGURE 38

- **DÉFINITION DE LA TANGENTE :** La tangente au graphique d'une fonction f en un point $(a, f(a))$ est la droite (si elle existe) vers laquelle tend la sécante passant par les points $(a, f(a))$ et $(x, f(x))$ quand x tend vers a sans l'atteindre (figure 38 c).
  On parle de tangente à gauche (tangente à droite) lorsque x tend vers a à gauche (à droite). Voir figure 38 d et e.
- **DÉFINITION DE LA PENTE :** La pente de la sécante passant par les points $(a, f(a))$ et $(x, f(x))$ est
  $$m = \frac{f(x) - f(a)}{x - a}$$
  La pente de la tangente au graphique de la fonction f au point $(a, f(a))$ est
  $$m_t = \lim_{x \to a} \frac{f(x) - f(a)}{x - a}$$
  si cette limite existe.

Exercices

46. Soit f la fonction définie par

$f(x) = -3x^2 + 2x + 5.$

a) Calculer la pente de la sécante passant par les points $(-1, f(-1))$ et $(x, f(x))$.

b) Déterminer la pente de la tangente au graphique de f au point $(-1, f(-1))$.

c) Trouver l'équation de la tangente à la courbe $y = f(x)$ au point $(-1, f(-1))$.

d) En quel point du graphique de f la tangente est-elle parallèle à la droite $y = 2x$? Illustrer graphiquement la réponse.

e) En quel point du graphique de f la tangente est-elle perpendiculaire à la droite $y = \frac{1}{4}x$? Illustrer graphiquement la réponse.

SOLUTIONS

a) La pente de la sécante passant par les points $(-1, f(-1))$ et

$(x, f(x))$ est $m = \dfrac{f(x) - f(-1)}{x - (-1)} = \dfrac{-3x^2 + 2x + 5}{x + 1}$

(figure 39.)

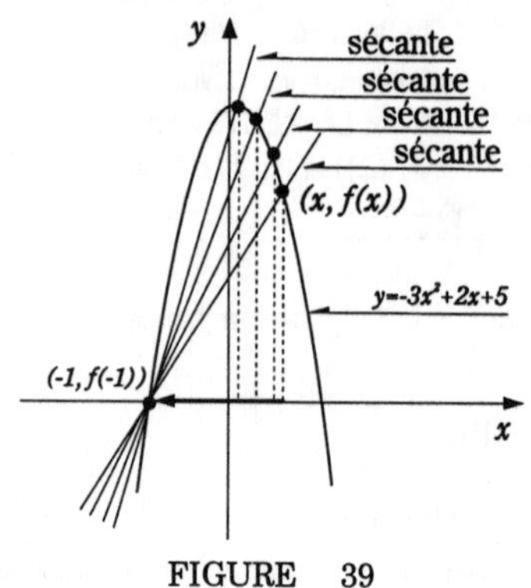

FIGURE 39

b) La pente de la tangente au point $(-1, f(-1))$ est

$$m_t = \lim_{x \to -1} \frac{f(x) - f(-1)}{x - (-1)} = \lim_{x \to -1} \frac{-3x^2 + 2x + 5}{x + 1}$$

$$= \lim_{x \to -1} \frac{(x + 1)(-3x + 5)}{x + 1} = \lim_{x \to -1} (-3x + 5)$$

$$= -3(-1) + 5 = 8$$

c) L'équation de la tangente est

$y - f(-1) = 8(x - (-1))$

D'où, $y = 8x + 8$

d) La pente de la tangente au point $(a, f(a))$ est

$$m_t = \lim_{x \to a} \frac{f(x) - f(a)}{x - a}$$

$$= \lim_{x \to a} \frac{(-3x^2 + 2x + 5) - (-3a^2 + 2a + 5)}{x - a}$$

$$= \lim_{x \to a} \frac{-3x^2 + 2x + 3a^2 - 2a}{x - a}$$

$$= \lim_{x \to a} \frac{(x-a)(-3x-3a+2)}{x-a}$$

$$= \lim_{x \to a} (-3x-3a+2) = -6a+2$$

et la pente de la droite $y = 2x$ est égale à 2. Donc,

$-6a + 2 = 2$

parce que ces deux droites sont parallèles.

D'où $a = 0$ et $f(a) = 5$;

e) La pente de la droite $y = \frac{1}{4}x$ est $m = \frac{1}{4}$, et la pente de la droite perpendiculaire $m_t = \frac{-1}{m} = -4$

Donc $-6a + 2 = -4$

D'où $a = 1$ et $f(a) = 4$

RÉPONSES

a) $m = -3x + 5$

b) $m_t = 8$

c) $y = 8x + 8$

d) (0,5) (figure 40)

e) (1, 4) (figure 41)

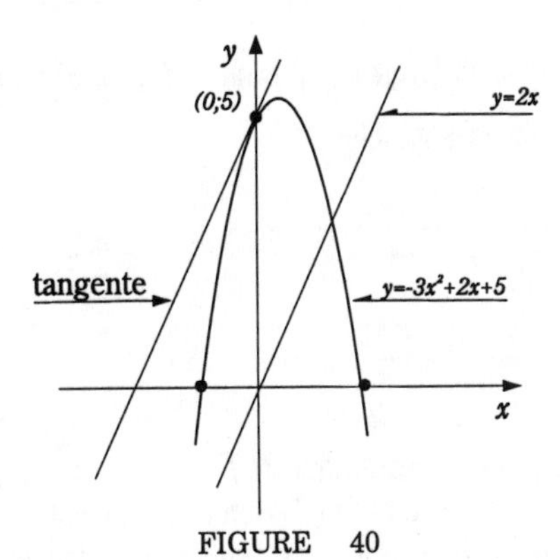

FIGURE 40

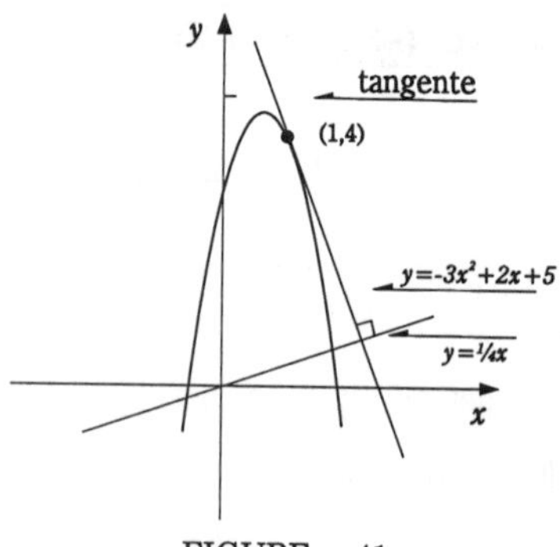

FIGURE 41

47. Soit f la fonction définie par

$$f(x) = \begin{cases} 1 - x^2 & \text{si} \quad x \neq 1 \\ 1 & \text{si} \quad x = 1 \end{cases}$$

Trouver l'équation de la tangente au graphique de f au point $(1, f(1))$. Illustrer graphiquement la réponse.

SOLUTION

La pente de la tangente

$$m_t = \lim_{x \to 1} \frac{f(x) - f(1)}{x - 1} = \lim_{x \to 1} \frac{1 - x^2 - 1}{x - 1}$$

est une limite de la forme $[\frac{-1}{0}]$. Donc, il faut évaluer séparément les limites à droite et à gauche.

On a $\lim\limits_{x \to 1^+} \dfrac{-x^2}{x - 1} = \dfrac{-1}{0^+} = -\infty$

et $\lim\limits_{x \to 1^-} \dfrac{-x^2}{x - 1} = \dfrac{-1}{0^-} = +\infty$

Donc, la tangente au graphique de f au point $(1, f(1))$ est verticale (la droite de pente non définie). Son équation est $x = 1$.
On trouve graphiquement cette tangente en traçant quelques sécantes passant par les points $(1, f(1))$ et $(x, f(x))$, et en faisant tendre x vers 1 (figure 42).

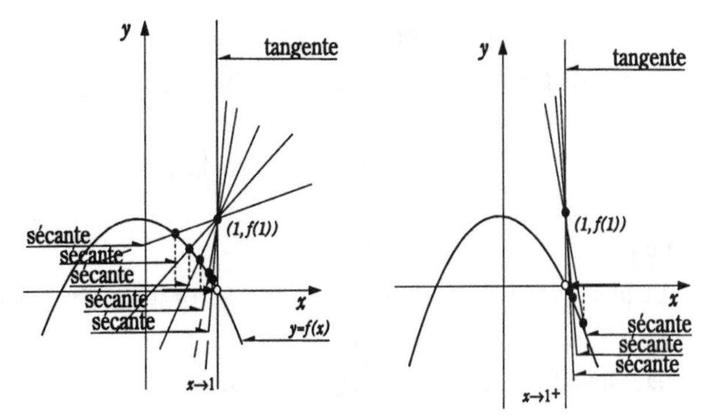

FIGURE 42

RÉPONSE: $x = 1$, illustré graphiquement par la figure 43.

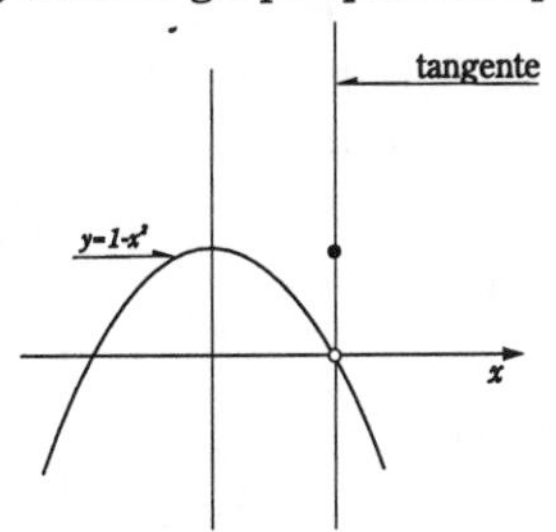

FIGURE 43

48. Considérer la fonction *f* représentée à la figure 44.

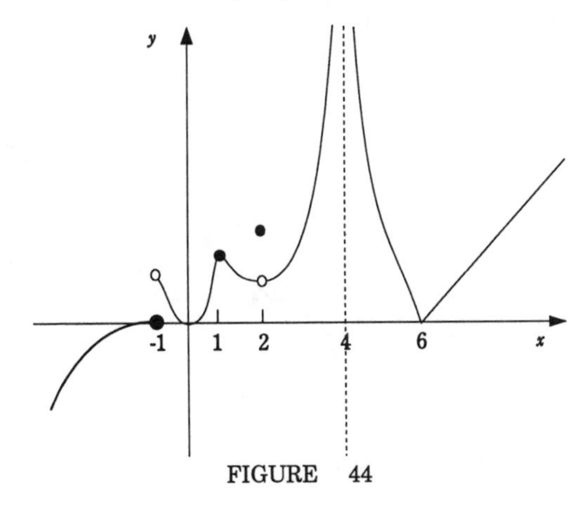

FIGURE 44

Lequel des énoncés suivant est faux?

a) Au point $(1, f(1))$, la tangente à gauche ne se confond pas avec la tangente à droite.

b) Au point $(-1, f(-1))$, la tangente à gauche est horizontale et la tangente à droite est verticale.

c) La tangente au point $(6, f(6))$ existe.

d) La pente de la tangente au point $(x, f(x))$ est positive pour $x < -1$ et négative pour $x \in]\,4, 6\,[$.

e) La tangente au point $(2, f(2))$ est verticale.

SOLUTION

La figure 45 montre que seul l'énoncé *c* est faux parce que la tangente au point $(6, f(6))$ n'existe pas, la tangente à gauche étant différente de la tangente à droite.

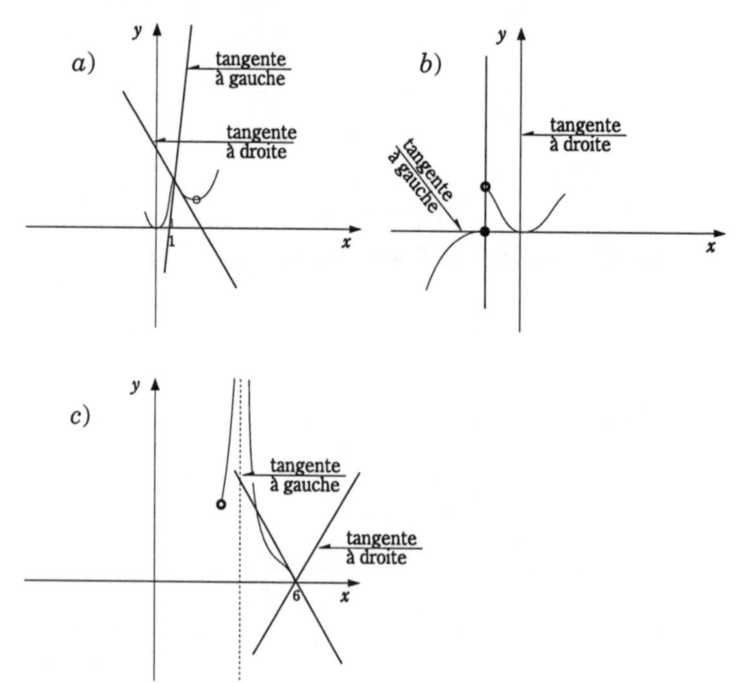

FIGURE 45

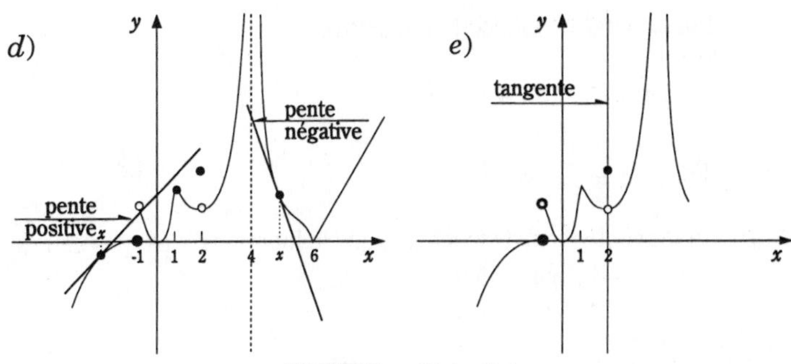

FIGURE 45 (suite)

RÉPONSE : *c*

49. Trouver l'équation de la tangente (si elle existe) au point $(3, f(3))$ pour f définie par

a) $f(x) = \dfrac{1}{x}$

b) $f(x) = \dfrac{1}{x-3}$

c) $f(x) = \begin{cases} \dfrac{1}{x-3} & \text{si} \quad x \neq 3 \\ 0 & \text{si} \quad x = 3 \end{cases}$

d) $f(x) = \sqrt{x-3}$

e) $f(x) = \begin{cases} x^2 & \text{si} \quad x < 3 \\ 6x - 9 & \text{si} \quad x \geq 3 \end{cases}$

SOLUTION

a) La pente de la tangente à la courbe $y = \dfrac{1}{x}$ au point $(3, f(3))$ est

$$m_t = \lim_{x \to 3} \frac{f(x) - f(3)}{x - 3} = \lim_{x \to 3} \frac{1/x - 1/3}{x - 3}$$

$$= \lim_{x - 3} \frac{3 - x}{3x} \times \frac{1}{x - 3} = \lim_{x \to 3} \frac{-1}{3x} = -\frac{1}{9}$$

Donc, l'équation de cette tangente est

$$y - f(3) = -\frac{1}{9}(x - 3)$$

d'où $y = -\dfrac{1}{9}x + \dfrac{2}{3}$

b) La tangente n'existe pas parce que la fonction f n'est pas définie pour $x = 3$ (figure 46a).

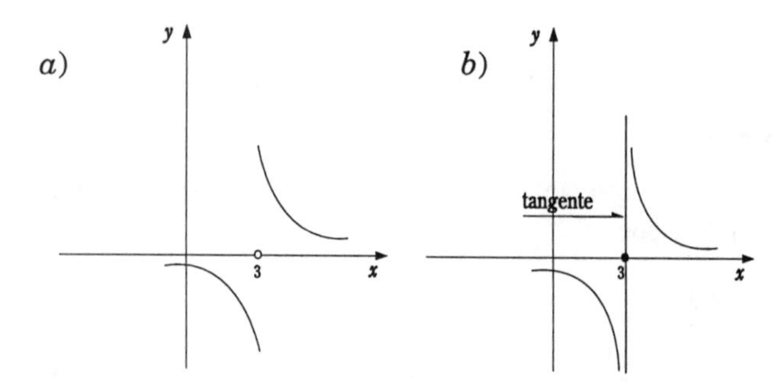

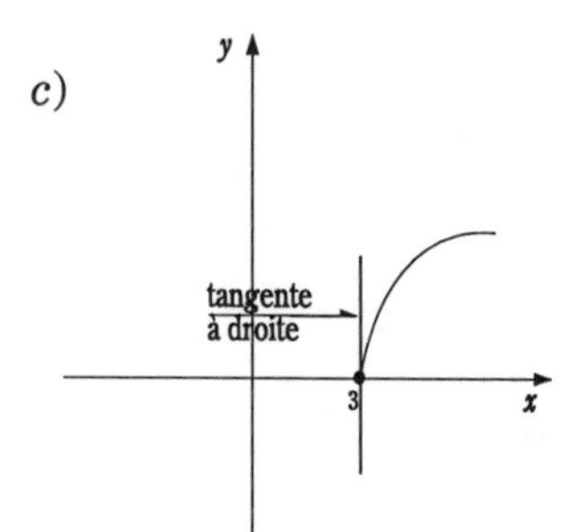

FIGURE 46

c) $m_t = \lim\limits_{x \to 3} \dfrac{f(x) - f(3)}{x - 3} = \lim\limits_{x \to 3} \dfrac{\dfrac{1}{x-3} - 0}{x - 3}$

$$= \lim_{x - 3} \frac{1}{(x-3)^2} = \frac{1}{0^+} = +\infty$$

La tangente au point $(3, f(3))$ est verticale d'équation $x = 3$ (la droite de pente non définie) (figure 46b).

d) La fonction f n'est définie que pour $x \geq 3$. Donc, on peut chercher seulement la tangente à droite, dont la pente est

$$m_t^+ = \lim_{x \to 3^+} \frac{f(x) - f(3)}{x - 3} = \lim_{x \to 3^+} \frac{\sqrt{x-3} - \sqrt{0}}{x - 3}$$

$$= \lim_{x \to 3^+} \frac{1}{\sqrt{x-3}} = \frac{1}{\sqrt{0^+}} = +\infty$$

La limite est infinie. Donc, la tangente à droite au point $(3, f(3))$ est la droite verticale d'équation $x = 3$ (figure 46c).

e) La fonction f est définie différemment pour $x > 3$ et pour $x < 3$. Donc, il faut étudier séparément les tangentes à gauche et à droite. On obtient

$$m_t^- = \lim_{x \to 3^-} \frac{f(x) - f(3)}{x - 3} = \lim_{x \to 3^-} \frac{x^2 - 9}{x - 3}$$

$$= \lim_{x \to 3^-} \frac{(x-3)(x+3)}{x - 3}$$

$$= \lim_{x \to 3^-} (x + 3) = 6$$

et l'équation de la tangente à gauche est

$y - f(3) = 6(x - 3)$

La pente de la tangente à droite est

$$m_t^+ = \lim_{x \to 3^+} \frac{f(x) - f(3)}{x - 3} = \lim_{x \to 3^+} \frac{6x - 9 - 9}{x - 3}$$

$$= \lim_{x \to 3^+} \frac{6x - 18}{x - 3} = \lim_{x \to 3} \frac{6(x-3)}{x - 3} = 6$$

et l'équation de la tangente à droite est

$y - f(3) = 6(x - 3)$

Alors la tangente existe et son équation est

$y - f(3) = 6(x - 3)$

d'où $y = 6x - 9$

RÉPONSES

a) $y = -\frac{1}{9}x + \frac{2}{3}$

b) La tangente n'existe pas.

c) $x = 3$

d) La tangente n'existe pas. La droite $x = 3$ est la tangente à droite.

e) $y = 6x - 9$

2 DÉRIVÉE D'UNE FONCTION

- **DÉFINITION D'UN TAUX DE VARIATION :** On appelle taux de variation moyen d'une fonction f le rapport

$$\frac{\Delta y}{\Delta x} = \frac{f(x + \Delta x) - f(x)}{\Delta x}$$

et taux de variation instantané la limite du taux de variation moyen lorsque Δx tend vers 0 (figure 47).

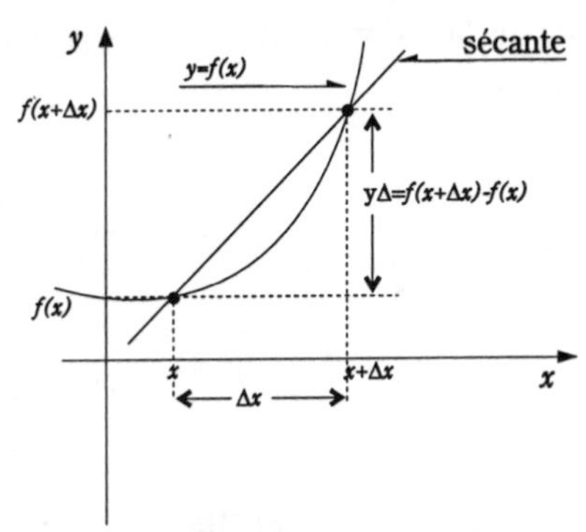

FIGURE 47

- **DÉFINITION DE LA DÉRIVÉE D'UNE FONCTION EN UN POINT :** La dérivée de la fonction f en $x = a$ est la valeur réelle de

$$\lim_{x \to a} \frac{f(x) - f(a)}{x - a}$$

ou de l'expression équivalente

$$\lim_{\Delta x \to 0} \frac{f(a + \Delta x) - f(a)}{\Delta x}$$

(si cette limite existe) et on la note $f'(a)$.

Dans ce cas, on dit que f est dérivable en a.

- Géométriquement, la dérivée $f'(a)$ est la pente de la tangente au graphique de f au point $(a, f(a))$.
- **THÉORÈME :** Si f est dérivable en a, elle est continue en a.

- **DÉFINITION DE LA FONCTION DÉRIVÉE:** Soit $A \subseteq \text{Dom } f$. Supposons que la dérivée $f'(x)$ existe pour $x \in A$.
On appelle

$$f' : A \ni x \to f'(x) = \lim_{\Delta x \to 0} \frac{f(x+\Delta x) - f(x)}{\Delta x}$$

la fonction dérivée de la fonction f.

La fonction dérivée se note aussi $\frac{df}{dx}$

Exercices

50. Soit f la fonction définie par le graphique représenté à la figure 48.

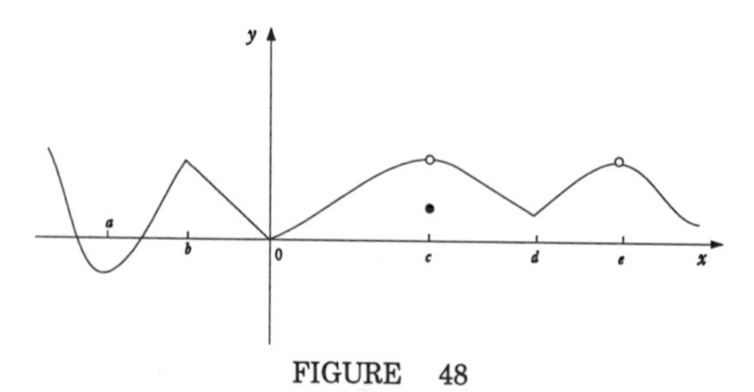

FIGURE 48

Compléter le tableau ci-dessous par: négative, positive, constante, nulle ou n'existe pas.

x	$]-\infty, a[$	a	b	$]b, 0[$	$]0, c[$	c	d	e
$f'(x)$								

SOLUTION

La dérivée est égale à la pente de la tangente. Donc, on peut étudier le comportement de la tangente au graphique de la fonction f.

Dans l'intervalle $]-\infty, a[$, les tangentes ont une pente négative. La tangente au point $(a, f(a))$ est horizontale. Donc, la pente de la tangente et la dérivée $f'(a)$ sont nulles. Au point $(b, f(b))$, la tangente à droite ne se confond pas avec la tangente à gauche. Donc, la tangente et la dérivée n'existent pas en ce point. Pour la même raison, la tengente au point $(d, f(d))$ n'existe pas. Dans l'intervalle $]\,b, 0\,[$ le graphique de f est une droite, donc la pente de la tangente et la dérivée sont constantes. Dans l'intervalle $]\,0, c\,[$, les tangentes ont des pentes positives. La tangente au point $(c, f(c))$ est la droite verticale. Donc, la pente est non définie et la dérivée n'existe pas. La dérivée en $x = e$ n'existe pas parce que la valeur $f(e)$ n'existe pas.

RÉPONSE

x	$]-\infty, a[$	a	b	$]\,b, 0\,[$	$]\,0, c\,[$	c	d	e
$f'(x)$	négative	nulle	n'existe pas	constante	positive	n'existe pas	n'existe pas	n'existe pas

51. Soit f la fonction définie par

$f(x) = 2x - \sqrt{x}$

a) Calculer et interpréter géométriquement le taux de variation moyen quand x varie de 4 à 9.

b) À l'aide de la définition, trouver et interpréter géométriquement la dérivée de f en $x = 4$.

c) Déterminer la fonction dérivée.

SOLUTION

a) Par définition, si x passe de 4 à 9, le taux de variation moyen est

$$\frac{\Delta y}{\Delta x} = \frac{f(9) - f(4)}{9 - 4} = \frac{9}{5}$$

Géométriquement, c'est la pente de la sécante qui passe par les points $(4, f(4))$ et $(9, f(9))$.

b) $$f'(4) = \lim_{x \to 4} \frac{f(x) - f(4)}{x - 4} = \lim_{x \to 4} \frac{2x - \sqrt{x} - 6}{x - 4}$$

$$= \lim_{x \to 4} \frac{2x - 6 - \sqrt{x}}{x - 4} \times \frac{2x - 6 + \sqrt{x}}{2x - 6 + \sqrt{x}}$$

$$= \lim_{x \to 4} \frac{(2x - 6)^2 - (\sqrt{x})^2}{(x - 4)(2x - 6 + \sqrt{x})}$$

$$= \lim_{x \to 4} \frac{4x^2 - 25x + 36}{(x - 4)(2x - 6 + \sqrt{x})}$$

$$= \lim_{x \to 4} \frac{4x - 9}{2x - 6 + \sqrt{x}} = \frac{7}{4}$$

Géométriquement, $f'(4)$ est la pente de la tangente au graphique de f au point $(4, f(4))$.

c) Par définition,

$$f'(x) = \lim_{\Delta x \to 0} \frac{f(x + \Delta x) - f(x)}{\Delta x}$$

Donc, pour dériver il faut

1°. Calculer la variation

$$\begin{aligned}\Delta y &= f(x + \Delta x) - f(x) \\ &= [\, 2(x + \Delta x) - \sqrt{x + \Delta x}\,] - (2x - \sqrt{x}) \\ &= 2\Delta x - \sqrt{x + \Delta x} + \sqrt{x}\end{aligned}$$

2°. Calculer le taux de variation moyen

$$\frac{\Delta y}{\Delta x} = \frac{2\Delta x - \sqrt{x + \Delta x} + \sqrt{x}}{\Delta x} = 2 - \frac{\sqrt{x + \Delta x} - \sqrt{x}}{\Delta x}$$

3°. Évaluer la limite

$$\lim_{\Delta x \to 0} [\, 2 - \frac{\sqrt{x + \Delta x} - \sqrt{x}}{\Delta x}\,]$$

$$= \lim_{\Delta x \to 0} [\, 2 - \frac{\sqrt{x + \Delta x} - \sqrt{x}}{\Delta x} \times \frac{\sqrt{x + \Delta x} + \sqrt{x}}{\sqrt{x + \Delta x} + \sqrt{x}}\,]$$

$$= \lim_{\Delta x \to 0} [\, 2 - \frac{1}{\sqrt{x + \Delta x} + \sqrt{x}}\,] = 2 - \frac{1}{2\sqrt{x}}$$

Cette limite existe si $x > 0$.

RÉPONSES

a) $\dfrac{\Delta y}{\Delta x} = \dfrac{9}{5}$, c'est la pente de la sécante.

b) $f'(4) = \dfrac{7}{4}$, c'est la pente de la tangente à la courbe de f au point $(4, f(4))$.

c) $f' :]\,0, +\infty\,[\ni x \Rightarrow f'(x) = 2 - \dfrac{1}{2\sqrt{x}}$

52. On lance une pierre d'une certaine altitude. Sa position en fonction du temps est

$s(t) = 800 - 40t - 4t^2$

où le temps t est exprimé en secondes et la distance du sol $s(t)$ est exprimée en mètres.

a) De quelle altitude lance-t-on la pierre?

b) Déterminer la durée de la chute.

c) Calculer la vitesse moyenne pendant les cinq premières secondes et pendant les cinq dernières secondes de la chute.

d) Trouver la vitesse initiale de la pierre, la vitesse instantanée 5 secondes après le lancement et la vitesse au moment où la pierre touche le sol.

SOLUTION

La vitesse moyenne est le taux de variation moyen de la distance $s(t)$ ou encore la pente de la sécante. La vitesse instantanée est la dérivée de la distance $s(t)$ ou encore la pente de la tangente. Le diagramme ci-dessous peut représenter cette correspondance.

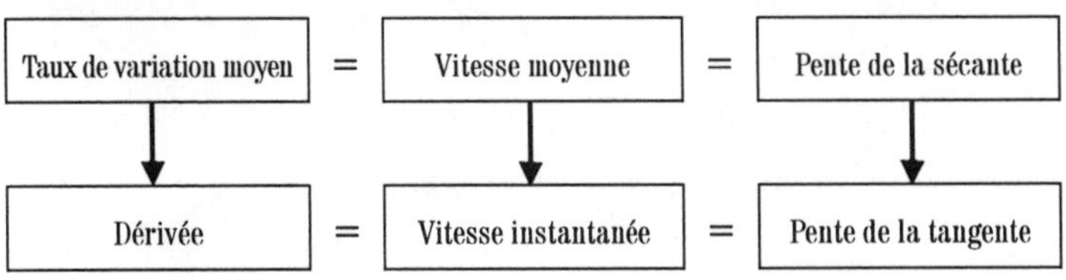

a) La position initiale de la pierre est $s(0) = 800$

b) La durée de la chute, c'est le temps que prend la pierre pour toucher le sol. Donc,

$800 - 40\,t - 4\,t^2 = 0$

On a deux zéros: $t_1 = -20 \qquad t_2 = 10$.

Il faut réjeter la solution $t_1 = -20$ parce que le temps est toujours positif.

c) Quand t passe de 0 à 5 s, la vitesse moyenne (le taux de variation moyen) est

$$v_{\text{moy}} = \frac{\Delta s}{\Delta t} = \frac{s(5) - s(0)}{5 - 0} = -60$$

Dans les cinq derniéres secondes la vitesse moyenne (taux de variation moyenne, quand le temps t passe de 5 à 10 s) est

$$v_{\text{moy}} = \frac{\Delta s}{\Delta t} = \frac{s(10) - s(5)}{10 - 5} = -100$$

Le signe « – » indique que la pierre est lancée vers le bas.

d) La vitesse instantanée est

$$v\,(t) = s'(t) = \lim_{\Delta t \to 0} \frac{s(t + \Delta t) - s(t)}{\Delta t}$$

$$= \lim_{\Delta t \to 0} \frac{(800 - 40(t + \Delta t) - 4(t + \Delta t)^2\,) - (800 - 40t - 4t^2\,)}{\Delta t}$$

$$= \lim_{\Delta t \to 0} \frac{\Delta t\,(-40 - 8t - 4\Delta t)}{\Delta t} = -40 - 8t\,.$$

Donc,

$v\,(0) = -40$

$v\,(5) = -80$

$v\,(10) = -120$

Les vitesses sont exprimées en m/s.

RÉPONSES

a) $s\,(0) = 800$ m

b) $t = 10s$

c) $v_{moy} = -60$ m/s pendant les cinq premières secondes,
$v_{moy} = -100$ m/s pendant les cinq dernières secondes.

d) $v(0) = -40$ m/s, $v(5) = -80$ m/s, $v(10) = -120$ m/s

53. Soit *f* la fonction définie par

$$f(x) = \sqrt[3]{x}$$

a) Étudier la continuité de f en $x = 0$

b) Déterminer la dérivée en $x = 0$

SOLUTION

a) Il faut vérifier les trois conditions de la continuité de la fonction en un point:

1° $f(0)$ existe et vaut 0

2° $\lim\limits_{x \to 0} f(x) = \lim\limits_{x \to 0} \sqrt[3]{x} = 0$

3° $f\,(0) = \lim\limits_{x \to 0} f(x)$

Donc, la fonction est continue en $x = 0$.

b) $$f'(0) = \lim_{x \to 0} \frac{f(x) - f(0)}{x - 0} = \lim_{x \to 0} \frac{\sqrt[3]{x} - 0}{x - 0} = \lim_{x \to 0} \frac{\sqrt[3]{x}}{x}$$

$$= \lim_{x \to 0} \frac{1}{\sqrt[3]{x^2}} = \frac{1}{0^+} = +\infty$$

Donc, $f'(0)$ n'existe pas, parce que cette limite n'est pas un nombre réel.

Noter que la continuité est une condition nécessaire mais non suffisante de l'existence de la dérivée. Une fonction continue peut ne pas avoir de dérivée.

RÉPONSES

a) f est continue en $x = 0$

b) $f'(0)$ n'existe pas.

54. Soit f la fonction définie par

$$f(x) = \begin{cases} 1 - x^2 & \text{si} \quad x \leq 1 \\ 2 - x^2 & \text{si} \quad x > 1 \end{cases}$$

a) Tracer le graphique de f.

b) Évaluer les limites suivantes

$$\lim_{x \to 1^-} f(x), \quad \lim_{x \to 1^+} f(x) \quad \text{et} \quad \lim_{x \to 1} f(x)$$

c) f est-elle continue en $x = 1$? Justifier la réponse.

d) Calculer et représenter géométriquement (si ces limites existent).

$$\lim_{\Delta x \to 0^+} \frac{f(1 + \Delta x) - f(1)}{\Delta x} \quad \text{et}$$

$$\lim_{\Delta x \to 0^-} \frac{f(1 + \Delta x) - f(1)}{\Delta x};$$

e) $f'(1)$ existe-t-elle? Répondre à partir de la réponse

1) en *c*,

2) en *d*.

SOLUTIONS ET RÉPONSES

a) Figure 49

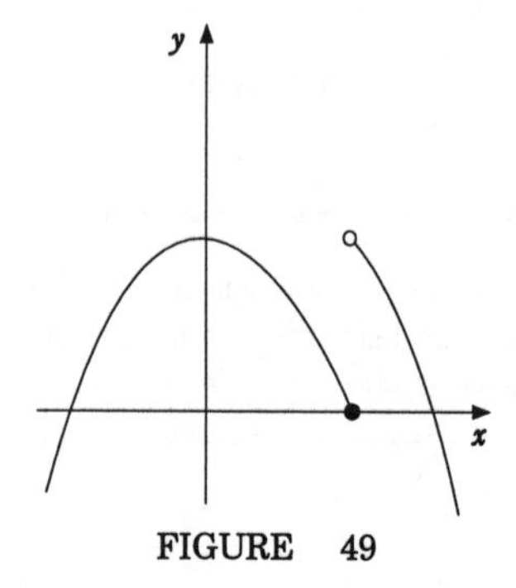

FIGURE 49

b) $\lim\limits_{x \to 1^-} f(x) = \lim\limits_{x \to 1^-} (1 - x^2) = 0$

$\lim\limits_{x \to 1^+} f(x) = \lim\limits_{x \to 1^+} (2 - x^2) = 1$

La limite à gauche est différente de celle à droite. Donc, la limite de f n'existe pas lorsque x tend vers 1.

c) f est discontinue en $x = 1$, parce que la limite de f n'existe pas lorsque x tend vers 1.

d) $\lim\limits_{\Delta x \to 0^+} \dfrac{f(1 + \Delta x) - f(1)}{\Delta x} = \lim\limits_{\Delta x \to 0^+} \dfrac{2 - (1 + \Delta x)^2 - 0}{\Delta x}$

$= \lim\limits_{\Delta x \to 0^+} \dfrac{1 - 2\Delta x - (\Delta x)^2}{\Delta x} = \dfrac{1}{0^+} = +\infty$

Cette limite représente la pente de la tangente à droite au point $(1, f(1))$. Cette pente est non définie. Donc, la tangente à droite est verticale (figure 50).

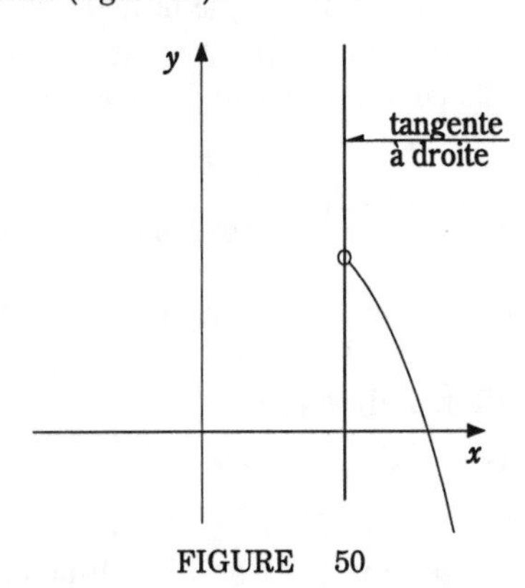

FIGURE 50

$\lim\limits_{\Delta x \to 0^-} \dfrac{f(1 + \Delta x) - f(1)}{\Delta x} = \lim\limits_{\Delta x \to 0^-} \dfrac{1 - (1 + \Delta x)^2 - 0}{\Delta x}$

$= \lim\limits_{\Delta x \to 0^-} \dfrac{- 2\Delta x - (\Delta x)^2}{\Delta x} = \lim\limits_{\Delta x \to 0^-} (- 2 - \Delta x) = - 2$

Cette limite représente la pente de la tangente à gauche au point $(1, f(1))$. Cette pente est égale à -2. La tangente à gauche au point $(1, f(1))$ est une droite oblique (figure 51).

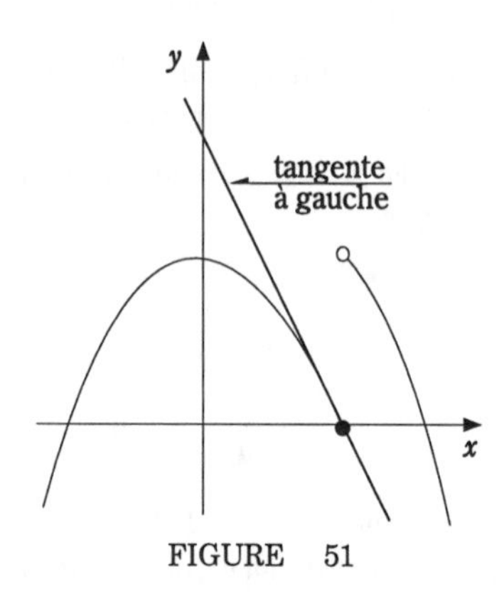

FIGURE 51

e) 1) $f'(1)$ n'existe pas parce que la fonction n'est pas continue en $x = 1$. D'après le théorème (page 93), si la dérivée d'une fonction en un point existe, alors la fonction est continue en ce point.

2) $\lim\limits_{\Delta x \to 0} \dfrac{f(1 + \Delta x) - f(1)}{\Delta x}$ n'existe pas (la limite à gauche est différente de celle à droite). donc $f'(1)$ n'existe pas.

55. Soit f la fonction définie par

$$f(x) = \begin{cases} c + 6x + -x^2 & \text{si} \quad x < 2 \\ 2 - x & \text{si} \quad x \geq 2 \end{cases}$$

Déterminer c et b pour que f soit continue en $x = 2$ et pour que la dérivée $f'(2)$ existe.

SOLUTION

La fonction f est continue en $x = 2$ si

$f(2) = \lim\limits_{x \to 2} f(x)$

On a $f(2) = 0$

et $\lim_{x \to 2^-} f(x) = \lim_{x \to 2^-} (c + bx + x^2) = c + 2b - 4$

et $\lim_{x \to 2^+} f(x) = \lim_{x \to 2^+} (2 - x) = 0$

Donc, la fonction est continue en $x = 2$ si

$c + 2b - 4 = 0$ (1).

La dérivée en $x = 2$ existe si $\lim_{x \to 2} \dfrac{f(x) - f(2)}{x - 2}$ existe.

On a $\lim_{x \to 2^-} \dfrac{f(x) - f(2)}{x - 2} = \lim_{x \to 2^-} \dfrac{c + bx - x^2 - 0}{x - 2}$

$\lim_{x \to 2^-} (-x - 2 + b) = -4 + b$

et $\lim_{x \to 2^+} \dfrac{f(x) - f(2)}{x - 2} = \lim_{x \to 2^+} \dfrac{2 - x - 0}{x - 2} = -1$.

Donc, la dérivée $f'(2)$ existe si

$b - 4 = -1$ (2).

On trouve b et c en résolvant le système d'équations (1) et (2).

RÉPONSES: $b = 3$ et $c = -2$

3 FORMULES DE DÉRIVATION

- **FORMULES :**

1. Si $f(x) = c$, alors $f'(x) = 0$ ($\frac{dc}{dx} = 0$)
2. $(x^n)' = n\,x^{n-1}$, $n \in R$
3. $[f(x) + g(x)]' = f'(x) + g'(x)$
4. $[c\,f(x)]' = c\,f'(x)$
5. $[f(x)\,g(x)]' = f'(x)\,g(x) + f(x)\,g'(x)$
6. $\left[\frac{f(x)}{g(x)}\right]' = \frac{f'(x)\,g(x) - f(x)\,g'(x)}{g^2(x)}$
7. $[F(g(x))]' = F'(u)\,g'(x)$ où $u = g(x)$

Exercices

56. Dériver les fonctions suivantes et déterminer les domaines de f et de f'. Indiquer la formule utilisée à chaque étape de dérivation.

a) $f(x) = 5\left(\sqrt[3]{x^2} + \sqrt{x}\right)$

b) $f(x) = \frac{1}{3\sqrt{x}}(x^2 + 1)$

c) $f(x) = (x + 2)(x^5 - 1)(x^3 + 2)$

d) $f(x) = \frac{x^5 + 1}{\sqrt{x} - 1}$

e) $f(x) = \frac{\sqrt{x}\,(1 - x)}{x^3 + 1}$

SOLUTION

$a)\ f'(x) = [5(\sqrt[3]{x^2} + \sqrt{x})]'$

$= 5(\sqrt[3]{x^2} + \sqrt{x})'$ formule 4

$= 5[(\sqrt[3]{x^2})' + (\sqrt{x})']$ formule 3

$= 5[(x^{2/3})' + (x^{1/2})']$

$= 5[\frac{2}{3}x^{-1/3}) + \frac{1}{2}x^{-1/2})]$ formule 2

$= 5\left(\frac{2}{3\sqrt[3]{x}} + \frac{1}{2\sqrt{x}}\right)$

Dom $f = \left\{x \in R \mid x \geq 0\right\} =]\ 0,\ +\infty\ [$

Dom $f' = \left\{x \in R \mid x \neq 0,\ x \neq 0 \text{ et } x \geq 0\right\} = [\ 0,\ +\infty\ [$

$b)\ f'(x) = [\frac{1}{3\sqrt{x}}(x^2+1)]'$

$= (\frac{1}{3\sqrt{x}})'(x^2+1) + \frac{1}{3\sqrt{x}}(x^2+1)'$ formule 5

$= \frac{1}{3}\left(\frac{1}{\sqrt{x}}\right)'(x^2+1) + \frac{1}{3\sqrt{x}}(x^2+1)'$ formule 4

$= \frac{1}{3}(x^{-1/2})'\ (x^2+1) + \frac{1}{3\sqrt{x}}(x^2+1)'$

$= \frac{1}{3}(-\frac{1}{2}x^{-3/2})(x^2+1) + \frac{1}{3\sqrt{x}}(2x+0)$ formules 2 et 1

$= -\frac{x^2+1}{6\sqrt{x^3}} + \frac{2x}{3\sqrt{x}} = \frac{3x^2-1}{6x\sqrt{x}},$

Dom $f = \left\{x \in R \mid \sqrt{x} \neq 0 \text{ et } x \geq 0\right\} =]\ 0\ ,\ +\infty\ [$

Dom $f' = \left\{x \in R \mid x \neq 0, \sqrt{x} \neq 0 \text{ et } x \geq 0\right\} =]\ 0, +\infty\ [$

c) $f'(x) = [(x+2)(x^5-1)(x^3+2)]'$

$= (x+2)'[(x^5-1)(x^3+2)] + (x+2)[(x^5-1)(x^3+2)]'$

formule 5

$= 1[(x^5-1)(x^3+2)] + (x+2)[(x^5-1)'$

$(x^3+2) + (x^5-1)(x^3+2)']$ formules 3, 2 et 5

$= (x^5-1)(x^3+2) + 5x^4(x+2)(x^3+2)$

$+ 3x^2(x+2)(x^5-1)$ formules 3 et 2

$= 9x^8 + 16x^7 + 12x^5 + 20x^4 - 4x^3 - 6x^2 - 2$

Dom f = Dom $f' = R$

d) $f'(x) = \left(\dfrac{x^5+1}{\sqrt{x}-1}\right)'$

$$= \frac{[(x^5+1)'(\sqrt{x}-1) - (x^5+1)(\sqrt{x}-1)'}{(\sqrt{x}-1)^2}$$ formule 6

$$= \frac{5x^4(\sqrt{x}-1) - (x^5+1)\dfrac{1}{2\sqrt{x}}}{(\sqrt{x}-1)^2}$$ formules 3 et 2

$$= \frac{10x^4\sqrt{x}(\sqrt{x}-1) - (x^5+1)}{2\sqrt{x}(\sqrt{x}-1)^2}$$

$$= \frac{9x^5 - 10x^4\sqrt{x} - 1}{2\sqrt{x}(\sqrt{x}-1)^2},$$

Dom $f = \left\{x \in R \mid \sqrt{x} - 1 \neq 0 \text{ et } x \geq 0\right\} = [\,0, 1\,[\, \cup\,]\,1, +\infty\,[$

Dom $f' = \left\{x \in R \mid \sqrt{x}(\sqrt{x}-1) \neq 0 \text{ et } x \geq 0\,\right] =]\,0, 1\,[\cup]\,1, +\infty[$

e) $f'(x) = \dfrac{\sqrt{x}(1-x)}{x^3+1}$

$$= \frac{[\sqrt{x}(1-x)]'(x^3+1) - \sqrt{x}(1-x)(x^3+1)'}{(x^3+1)^2}$$ formule 6

$$= \frac{[\sqrt{x}'(1-x) + \sqrt{x}\,(1-x)']\,(x^3+1) - \sqrt{x}\,(1-x)\,(x^3+1)'}{(x^3+1)^2}$$

formule 5

$$= \frac{\left[\frac{1}{2\sqrt{x}}\,(1-x) + \sqrt{x}\,(-1)\right](x^3+1) - \sqrt{x}\,(1-x)\,3x^2}{(x^3+1)^2}$$

formules 2 et 3

$$= \frac{(1-x)(x^3+1) - 2x\,(x^3+1) - 2x\,(1-x)\,3x^2}{2\sqrt{x}\,(x^3+1)^2}$$

$$= \frac{3x^4 - 5x^3 - 3x + 1}{2\sqrt{x}\,(x^3+1)^2}$$

$\text{Dom}\, f = \left\{ x \in R \mid x \geq 0 \text{ et } 1 + x^3 \neq 0 \right\} = [\,0, +\infty\,[$

$\text{Dom}\, f' = \left\{ x \in R \mid \sqrt{x} \neq 0,\ 1 + x^3 \neq 0 \text{ et } x \neq 0 \right\} =]\,0, +\infty\,[$

RÉPONSES

a) $f' = \dfrac{10}{3\sqrt[3]{x}} + \dfrac{5}{2\sqrt{x}}$

Dom $f = [\,0, +\infty\,[$

Dom $f' =]\,0, +\infty\,[$

b) $f'(x) = \dfrac{3x^2 - 1}{6x\sqrt{x}}$

Dom $f =]\,0, +\infty\,[$

Dom $f' =]\,0, +\infty\,[$

c) $f'(x) = 9x^8 + 16x^7 + 12x^2 + 20x^4 - 4x^3 - 6x^2 - 2$

Dom $f = R$

Dom $f' = R$

d) $f'(x) = \dfrac{9x^5 - 10x^4\sqrt{x} - 1}{2\sqrt{x}\,(\sqrt{x} - 1)^2}$

Dom $f = [\,0, 1\,[\, \cup \,]\,1, +\infty\,[$

Dom $f' =]\,0, 1\,[\, \cup \,]\,1, +\infty\,[$

$e)\ f'(x) = \dfrac{3x^4 - 5x^3 - 3x + 1}{2\sqrt{x}\,(x^3+1)^2}$

Dom f = [0, +∞ [

Dom f' =] 0, +∞ [

57. Soit $f(x) = |\,x - 3\,|$. Calculer $f'(x)$ (si elle existe).

SOLUTION

D'après la définition de la valeur absolue,

$$f(x) = |\,x-3\,| = \begin{cases} x-3 & \text{si } x \geq 3 \\ -x+3 & \text{si } x < 3 \end{cases}$$

Pour $x > 3$,

$$f'(x) = (\,x-3\,)' = 1$$

Pour $x < 3$,

$$f'(x) = (\,-x+3\,)' = -1$$

Pour $x = 3$, la dérivée n'existe pas. Par définition

$$f'(3) = \lim_{x \to 3} \frac{f(x) - f(3)}{x-3} = \lim_{x \to 3} \frac{|\,x-3\,| - 0}{x-3}$$

Cette limite n'existe pas parce que les limites à droite et à gauche sont différentes. En effet,

$$\lim_{x \to 3^+} \frac{|x-3|}{x-3} = \lim_{x \to 3^+} \frac{x-3}{x-3} = 1$$

$$\text{et } \lim_{x \to 3^-} \frac{|x-3|}{x-3} = \lim_{x \to 3^-} \frac{-x+3}{x-3} = -1$$

On calcule la dérivée d'une fonction définie par branches au point de jonction à l'aide de la définition de la dérivée.

RÉPONSE

$$f'(x) = |\, x - 3\,| = \begin{cases} -1 & \text{si } x > 3 \\ 1 & \text{si } x < 3 \end{cases}$$

58. Dériver

a) $f(x) = \sqrt{1+x}$

b) $f(x) = \dfrac{1}{2\sqrt{1+x}}$

c) $f(x) = (x^2+1)\sqrt{1+x^3}$

d) $f(x) = \dfrac{1+x^3}{\sqrt{1+x^2}}$

SOLUTION

a) $f(x) = F[g(x)]$ où $u = g(x) = 1 + x$ est la fonction interne et

$F(u) = \sqrt{u}$, la fonction externe.

Appliquons la formule 7. On obtient

$$f'(x) = F'(u)\, g'(x)$$
$$= (\sqrt{u})'\,(1+x)'$$
$$= \frac{1}{2\sqrt{u}} \times 1 = \frac{1}{2\sqrt{1+x}}$$

b) $f(x) = F[g(x)]$ où $u = g(x) = 1 + x$ est la fonction interne et

$F(u) = \dfrac{1}{2\sqrt{u}}$, la fonction externe. Donc,

$$f'(x) = \left(\frac{1}{2\sqrt{u}}\right)'(1+x)'$$
$$= \frac{-1}{4\sqrt{u^3}} \times 1 = -\frac{1}{4\sqrt{(1+x)^3}}$$

c) $f'(x) = [\,(x^2+1)\sqrt{1+x^3}\,]'$

$= (x^2+1)'\sqrt{1+x^3} + (x^2+1)(\sqrt{1+x^3})'$ formule 5

$$= 2x\sqrt{1+x^3} + (x^2+1)\,(\sqrt{1+x^3})'$$

D'après la formule 7,

$$(\sqrt{1+x^3})' = \frac{1}{2\sqrt{1+x^3}}(1+x^3)' = \frac{1}{2\sqrt{1+x^3}}3x^2$$

d) $f'(x) = \left[\dfrac{1+x^3}{\sqrt{1+x^2}}\right]'$

$$= \frac{(1+x^3)'\sqrt{1+x^2} - (1+x^3)\,(\sqrt{1+x^2})'}{(\sqrt{1+x^2})^2} \qquad \text{formule 6}$$

$$= \frac{3x^2\sqrt{1+x^2} - (1+x^3)\,(\sqrt{1+x^2})'}{1+x^2}$$

D'après la formule 7,

$$(\sqrt{1+x^2})' = \frac{1}{2\sqrt{1+x^2}}2x = \frac{x}{\sqrt{1+x^2}}$$

RÉPONSES

a) $f'(x) = \dfrac{1}{2\sqrt{1+x}}$

b) $f'(x) = -\dfrac{1}{4\sqrt{(1+x)^3}}$

c) $f'(x) = 2x\sqrt{1+x^3} + \dfrac{3x^2(x^2+1)}{2\sqrt{1+x^3}}$

d) $f'(x) = \dfrac{2x^4+3x^2-x}{(1+x^2)\sqrt{1+x^2}}$

59. Calculer la dérivée de la fonction *f* définie par

$f(x) = (2x - x^2)^3$

a) À l'aide de la formule 7.

b) À l'aide de la formule 5.

c) À l'aide de la formule 3.

SOLUTION

a) $f'(x) = 3(2x - x^2)^2\,(2x - x^2)'$

$$= 3(2x - x^2)^2\,(2 - 2x)$$

$$= 6(2x - x^2)^2\,(1 - x)$$

$$= 6x^2(2 - x)^2\,(1 - x)$$

b) $f(x) = (2x - x^2)(2x - x^2)(2x - x^2)$

Donc,

$$f'(x) = (2x - x^2)'\,[(2x - x^2)(2x - x^2)] + (2x - x^2)\,[(2x - x^2)\,(2x - x^2)]'$$

$$= (2x - x^2)'[(2x - x^2)(2x - x^2)] + (2x - x^2)\,[(2x - x^2)'\,(2x - x^2) + (2x - x^2)(2x - x^2)']$$

$$= (2 - 2x)(2x - x^2)^2 + (2x - x^2)[(2 - 2x)(2x - x^2) + (2x - x^2)(2 - 2x)]$$

$$= 2(1 - x)(2x - x^2)^2 + (2x - x^2)\,2(2x - 2x)(2x - x^2)$$

$$= 2(1 - x)(2x - x^2)^2 + 4(2x - x^2)^2\,(1 - x)$$

$$= 6(1 - x)(2x - x^2)^2$$

$$= 6x^2(1 - x)(2 - x)^2$$

c) $f(x) = 8x^3 - 12x^4 + 6x^5 - x^6$

Donc,

$$f'(x) = (8x^3 - 12x^4 + 6x^5 - x^6)'$$

$$= 24x^2 - 48x^3 + 30x^4 - 6x^5 = 6x^2(1 - x)(x - 2)^2.$$

RÉPONSE

$f'(x) = 6x^2(1 - x)(x - 2)^2$

60. Soit y une fonction implicite de x définie par l'équation $x^2y^2 - 2xy = 4 - x^2$

a) Déterminer y'

b) Trouver l'équation de la tangente à cette courbe au point $(1, 3)$

c) Trouver l'équation de la tangente à cette courbe au point $\left(\sqrt{5}, \frac{1}{\sqrt{5}}\right)$

SOLUTION

a) Quand les fonctions sont égales, les dérivées le sont aussi. Donc,

$(x^2y^2 - 2xy)' = (4 - x^2)'$

Dérivons ces fonctions par rapport à x en nous rappelant que y est une fonction de x.

Donc, pour dériver la fonction y^2 il faut appliquer la formule 7. On obtient

$(y^2)' = [(y(x))^2]' = 2\,y(x)\,y'(x)$

ou simplement $\mathbf{(y^2)' = 2y\,y'}$

Donc,

$$\begin{aligned}(x^2y^2 - 2xy)' &= (x^2y^2)' - (2xy)' \\ &= 2x\,y^2 + x^2\,2yy' - (2y + 2xy') \\ &= 2x\,y^2 + x^2\,2yy' - 2y - 2xy'\end{aligned}$$

et $(4 - x^2)' = -2x$.

Alors, $2x\,y^2 + x^2\,2yy' - 2y - 2xy' = -2x$

d'où, $y' = \dfrac{-x + y - xy^2}{x^2y - x}$ à condition que $x^2y - x \neq 0$

b) Soit $x = 1$ et $y = 3$. La condition d'existence de y' est satisfaite. Donc,

$$y' = \frac{-1 + 3 - 1 \times 3^2}{1^2 \times 3 - 1} = -\frac{7}{2}$$

et l'équation de la tangente est

$$y - 3 = -\frac{7}{2}(x - 1)$$

D'où $y = -\dfrac{7}{2}x + \dfrac{13}{2}$

c) Soit $x = \sqrt{5}$ et $y = \dfrac{1}{\sqrt{5}}$

La condition d'existence de y' n'est pas satisfaite et la dérivée est infinie. Donc, la tangente est verticale et son équation est $x = \sqrt{5}$.

RÉPONSES

a) $y' = \dfrac{-x + y - xy^2}{x^{2y} - x}$ si $x^2 y - x \neq 0$

b) $y = -\dfrac{7}{2}x + \dfrac{13}{2}$

c) $x = \sqrt{5}$

4 DÉRIVÉE SECONDE

- **DÉFINITION :** La dérivée seconde d'une fonction f est la fonction f'' telle que $f''(x) = [\,f'(x)\,]'$.

  On la note aussi $\dfrac{d^2f}{dx^2}$

Exercice

61. Trouver la dérivée seconde de la fonction f définie par

a) $f(x) = x^3 - x^4$

b) $f(x) = \sqrt{x^3}$

c) $f(x) = \dfrac{1}{x}$

Déterminer les domaines de f, f', f''.

SOLUTION

a) $f'(x) = (\,x^3 - x^4\,)'$

$= 3x^2 - 4x^3$

$f''(x) = (3x^2 - 4x^3)'$

$= 3 \times 2x - 4 \times 3x^2$

$= 6x - 12x^2$

Dom f = Dom f' = Dom f'' = R parce que les trois fonctions sont des polynômes.

$b)\ f'(x) = (\sqrt{x^3})' = (x^{3/2})' = \frac{3}{2}x^{1/2} = \frac{3}{2}\sqrt{x}$

$f''(x) = \left(\frac{3}{2}x^{1/2}\right)' = \frac{3}{2} \times \frac{1}{2}x^{-1/2} = \frac{3}{4}x^{-1/2} = \frac{3}{4}\frac{1}{\sqrt{x}}$

$\text{Dom}\, f = \text{Dom}\, f' = \{ x \in R \mid x \geq 0 \} = [\ 0, +\infty\ [$

$\text{Dom}\, f'' = \{ x \in R \mid x > 0 \} =]\ 0, +\infty\ [$

$c)\ f'(x) = \left(\frac{1}{x}\right)' = (x^{-1})' = -1 \times x^{-2} = \frac{-1}{x^2}$

$f''(x) = (-1x^{-2})' = -1 \times (-2) \times x^{-3} = \frac{2}{x^3}$

$\text{Dom}\, f = \text{Dom}\, f' = \text{Dom}\, f'' = \{x \in R \mid x \neq 0\} = R \setminus \{0\}$

RÉPONSES

$a)$ $f'(x) = 3x^2 - 4x^3$

$f''(x) = 6x - 12x^2$

$\text{Dom}\, f = \text{Dom}\, f' = \text{Dom}\, f'' = R$

$b)$ $f'(x) = \frac{3}{2}\sqrt{x}$

$f''(x) = \frac{3}{4\sqrt{x}}$

$\text{Dom}\, f = \text{Dom}\, f' = [\ 0, +\infty\ [$

$\text{Dom}\, f'' =]\ 0, +\infty\ [$

$c)$ $f'(x) = \frac{1}{x^2}$

$f''(x) = \frac{2}{x^3}$

$\text{Dom}\, f = \text{Dom}\, f' = \text{Dom}\, f'' = R \setminus \{ 0 \}$

CHAPITRE

III

REPRÉSENTATION GRAPHIQUE ET PROBLÈMES D'OPTIMISATION

Vous devez savoir:

- étudier la croissance, la décroissance et la concavité d'une fonction;
- déterminer les maximums et les minimums relatifs d'une fonction;
- déterminer les points d'inflexion d'une fonction;
- optimiser une fonction à l'aide de sa dérivée.

CROISSANCE, DÉCROISSANCE ET EXTREMUMS D'UNE FONCTION

DÉFINITIONS :

- On dit qu'une fonction f est **croissante** dans un intervalle ouvert $]\,a, b\,[$ si pour tout choix de deux abscisses $x_1, x_2 \in\,]\,a, b\,[$ l'inégalité $x_1 < x_2$ implique $f(x_1) < f(x_2)$ (figure 52 a).

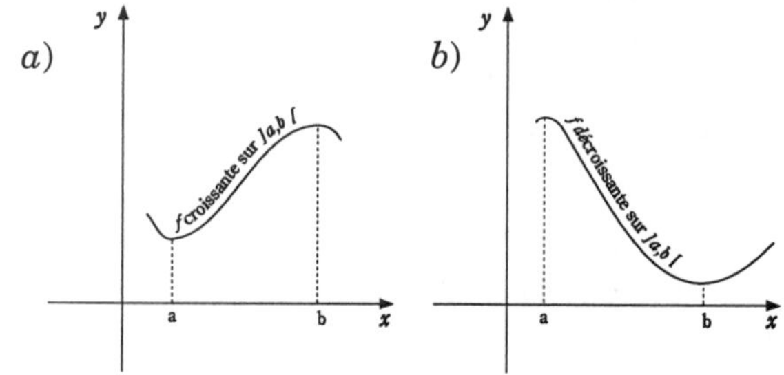

FIGURE 52

- On dit qu'une fonction f est **décroissante** dans un intervalle ouvert] a, b [si pour tout choix de deux abscisses $x_1, x_2 \in\,]\,a, b\,[$ l'inégalité $x_1 < x_2$ implique $f(x_1) > f(x_2)$ (figure 52 b).
- Une fonction f admet un maximum relatif en x_0 s'il existe un intervalle ouvert $]\,a\,, b\,[$ contenant x_0 tel que $f(x_0) > f(x)$ pour tout $x \in\,]\,a, b\,[\, \subset \text{Dom} f$ et $x \neq x_0$ (figure 53).

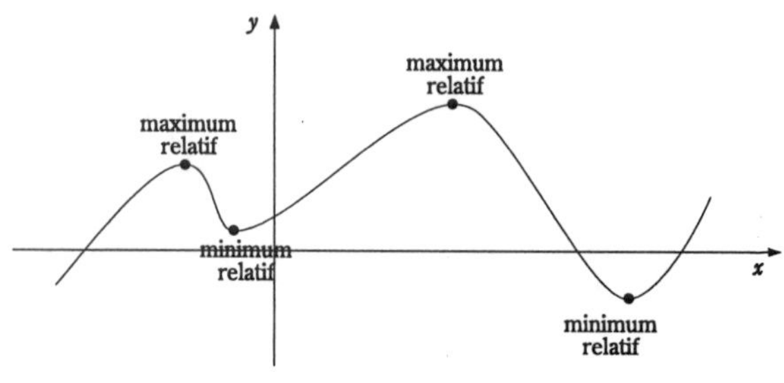

FIGURE 53

- Une fonction f admet un minimum relatif en x_0 s'il existe un intervalle ouvert $]\,a\,,\,b\,[$ contenant x_0 tel que $f(x_0) < f(x)$ pour tout $x \in\,]\,a, b\,[\, \subset \text{Dom}\, f$ et $x \neq x_0$ (figure 53).
- **THÉORÈME SUR LA CROISSANCE D'UNE FONCTION:** Soit f une fonction dérivable dans un intervalle ouvert $]\,a, b\,[$.

  $a)$ Si $f'(x) > 0$ pour tout $x \in\,]\,a, b\,[$, alors f est croissante dans $]\,a, b\,[$ (figure 54 a).

  $b)$ Si $f'(x) < 0$ pour tout $x \in\,]\,a, b\,[$, alors f est décroissante dans $]\,a, b\,[$ (figure 54 b).

  $c)$ Si $f'(x) = 0$ pour tout $x \in\,]\,a, b\,[$, alors f est constante dans $]\,a, b\,[$.

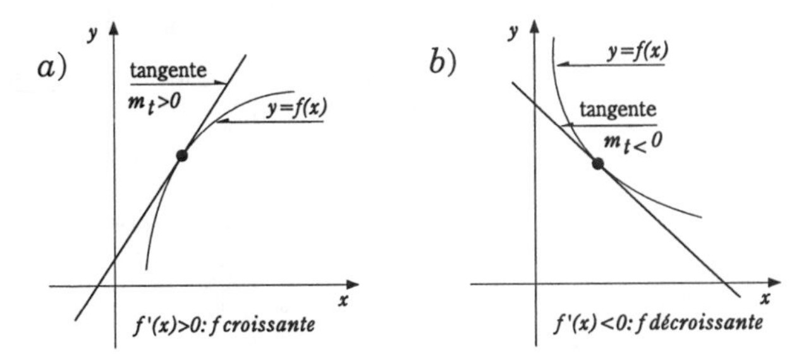

FIGURE 54

- **THÉORÈME SUR LES EXTREMUMS D'UNE FONCTION:** Si la valeur $f(x_0)$ est un extremum de la fonction f, alors $f'(x_0) = 0$ ou $f'(x_0)$ n'existe pas.

  Il y a quatre possibilités:

  $a)$ $f'(x_0) = 0$ et $f'(x)$ passe du + au – quand x passe par x_0 en croissant (figure 55).

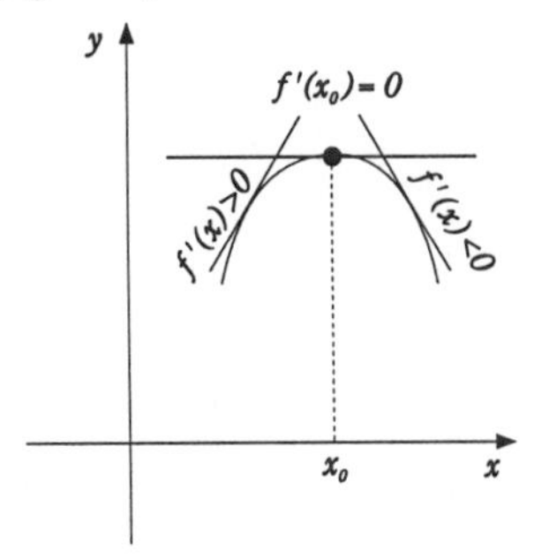

FIGURE 55

b) $f'(x_0) = 0$ et $f'(x)$ passe du – au + quand x passe par x_0 en croissant (figure 56).

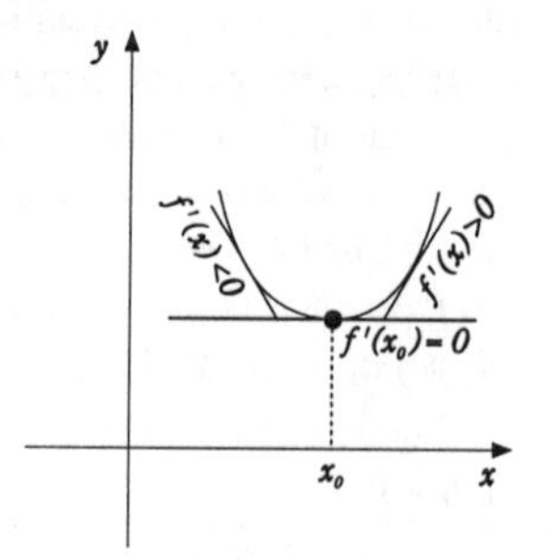

FIGURE 56

c) $f'(x_0)$ n'existe pas et $f'(x)$ passe du + au – quand x passe par x_0 en croissant (figure 57).

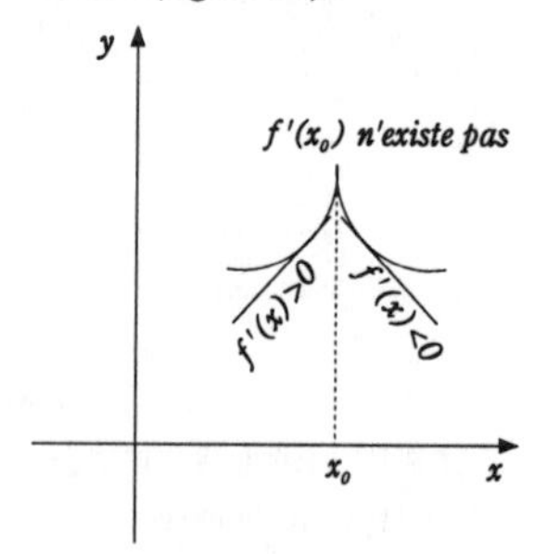

FIGURE 57

d) $f'(x_0)$ n'existe pas et $f'(x)$ passe du – au + quand x passe par x_0 en croissant (figure 58).

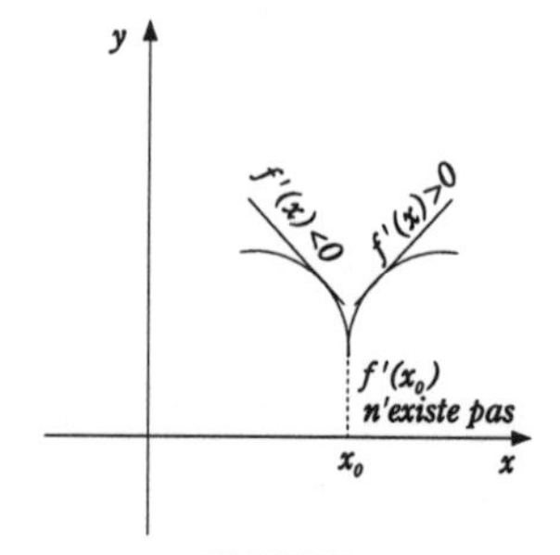

FIGURE 58

- **DÉFINITION D'UNE VALEUR CRITIQUE:** On appelle valeur critique d'une fonction f la valeur $x_0 \in$ Dom f pour laquelle $f'(x_0) = 0$ ou $f'(x_0)$ n'existe pas.
- **THÉORÈME – TEST DE LA DÉRIVÉE SECONDE:** Si $f'(x_0) = 0$ et $f''(x_0) > 0$, alors la valeur $f(x_0)$ est le minimum de la fonction f. Si $f'(x_0) = 0$ et $f''(x_0) < 0$, alors la valeur $f(x_0)$ est le maximum de la fonction f.

Exercices

62. Étudier la croissance et trouver les extremums de chaque fonction *f* définie par

a) $f(x) = x^3 - 6x^2 - 15x + 2$

b) $f(x) = \sqrt{8x^2 - x^4}$

c) $f(x) = \dfrac{2x}{x^4 + 3}$

d) $f(x) = \sqrt{\dfrac{2-x}{1+x}}$

SOLUTION

Pour étudier la croissance d'une fonction et pour trouver ses extremums, il faut

1° Trouver le domaine de f.

2° *A*) Déterminer la fonction dérivée f'.

B) Trouver le domaine de f'.

C) Trouver les valeurs critiques de la fonction f et étudier le signe de la dérivée.

3° Dresser le tableau de croissance de la fonction f

a) $f(x) = x^3 - 6x^2 - 15x + 2$.

1° Dom $f = R$ (car f est un polynôme).

2° $A)$ $f'(x) = 3x^2 - 12x - 15 = 3(x + 1)(x - 5)$.

$B)$ Dom $f' = R$ (car f' est un polynôme).

$C)$ $f'(x) = 0$ pour $x = -1$ et $x = 5$.
Les valeurs critiques sont $x = -1$ et $x = 5$ (la dérivée s'annule).

Établissons un tableau de signes pour connaître le signe de f'.

Valeurs de x	$]-\infty, -1[$	$]-1, 5[$	$]5, +\infty[$
Signe de $(x + 1)$	–	+	+
Signe de $(x - 5)$	–	–	+
Signe de f'	+	–	+

3° Dressons le tableau de croissance de la fonction f.

Dans le tableau de croissance, il faut considérer toutes les valeurs du domaine de la fonction, et faire une colonne particulière pour les valeurs qui bornent ce domaine et pour chaque valeur critique.

Valeurs de x	$]-\infty, -1[$	-1	$]-1, 5[$	5	$]5, +\infty[$
Signe de f'	+	0	–	0	+
Croissance de f	↗	max	↘	min	↗

Conclusion: La fonction f est croissante dans les intervalles $]-\infty, -1[$ et $]5, +\infty[$, elle est décroissante dans l'intervalle $]-1, 5[$ et elle admet un maximum en $x = -1$ (max $= f(-1) = 10$) et un minimum en $x = 5$ (min $= f(5) = -98$).

b) $f(x) = \sqrt{8x^2 - x^4}$

1° $\text{Dom} f = \{ x \in R \mid 8x^2 - x^4 \geq 0 \} = [-\sqrt{8}, \sqrt{8}]$

2° *A*) $f'(x) = (\sqrt{8x^2 - x^4})' = \dfrac{1}{2\sqrt{8x^2 - x^4}}(8x^2 - x^4)'$

$$= \frac{8x - 2x^3}{\sqrt{8x^2 - x^4}} = \frac{2x(2-x)(2+x)}{\sqrt{8x^2 - x^4}}$$

B) $\text{Dom} f' = \{ x \in \text{Dom} f \mid 8x^2 - x^4 > 0 \}$
$=]-\sqrt{8}, 0[\cup]0, \sqrt{8}[$,

C) $f'(x) = 0$ pour $x = 2$ et $x = -2$.
Les valeurs critiques sont $x = 0$, $x = \pm\sqrt{8}$ (la dérivée n'existe pas) et $x = \pm 2$ (la dérivée s'annule).

Établissons un tableau de signe de f'.

Valeurs de x	$]-\sqrt{8}, -2[$	$]-2, 0[$	$]0, 2[$	$]2, \sqrt{8}[$
Signe de $2x$	–	–	+	+
Signe de $(2 - x)$	+	+	+	–
Signe de $(2 + x)$	–	+	+	+
Signe de $\sqrt{8x^2 - x^4}$	+	+	+	+
Signe de f'	+	–	+	–

3° Établissons le tableau de croissance de f.

Valeurs de x	$-\sqrt{8}$	$]-\sqrt{8}, -2[$	-2	$]-2, 0[$	0	$]0, 2[$	2	$]2, \sqrt{8}[$	$\sqrt{8}$
Signe de f'	∄	+	0	–	∄	+	0	–	∄
Croissance de f	min	↗	max	↘	min	↗	max	↘	min

Conclusion: La fonction f est croissante dans les intervalles $]-\sqrt{8}, -2[$ et $]0, 2[$ et décroissante dans les intervalles] –2, 0 [et] 2, $\sqrt{8}$ [, elle admet des maximums en $x = -2$ (max $= f(-2) = 4$) et en $x = 2$ (max $= f(2) = 4$), des minimums en $x = 0$ (min $= f(0) = 0$), en $x = -\sqrt{8}$ et $x = \sqrt{8}$ (ces minimums étant de $f(-\sqrt{8}) = f(\sqrt{8}) = 0$).

c) $f(x) = \dfrac{2x}{x^4+3}$

1° Dom $f = R$ (le dénominateur $x^4 + 3$ ne s'annule pas dans R)

2° *A*) $f'(x) = \left(\dfrac{2x}{x^4+3}\right)' = \dfrac{2(x^4+3) - 2x\,(4x^3)}{(x^4+3)^2}$

$$= \frac{6 - 6x^4}{(x^4+3)^2} = \frac{6\,(1-x)\,(1+x)\,(1+x^2)}{(x^4+3)^2}$$

B) Dom $f' = R$,

C) $f'(x) = 0$ pour $x = 1$ et $x = -1$.

Les valeurs critiques sont $x = \pm 1$ (la dérivée s'annule).

Valeurs de x	] –∞, –1 [	] –1, +1 [	] 1, +∞ [
Signe de $(1 - x)$	+	+	–
Signe de $(1 + x)$	–	+	+
Signe de $(1 + x^2)$	+	+	+
Signe de $(x^4 + 3)^2$	+	+	+
Signe de f'	–	+	–

3° Établissons le tableau de croissance de f.

Valeurs de x	] –∞, –1 [	–1	] –1, +1 [	+1	] 1, +∞ [
Signe de f'	–	0	+	0	–
Croissance de f	↘	min	↗	max	↘

Conclusion: La fonction f est décroissante dans les intervalles $]-\infty, -1[$ et $]1, +\infty[$, elle est croissante dans l'intervalle $]-1, 1[$. Elle admet un minimum en $x = -1$ et un maximum en $x = +1$.

d) $f(x) = \sqrt{\dfrac{2-x}{1+x}}$

1° $\text{Dom} f = \{ x \in R \mid \dfrac{2-x}{1+x} \geq 0 \text{ et } 1 + x \neq 0\} =]-1, 2];$

2° *A*) $$f'(x) = \left(\sqrt{\frac{2-x}{1+x}}\right)' = \frac{1}{2\sqrt{\dfrac{2-x}{1+x}}}\left(\frac{2-x}{1+x}\right)'$$

$$= \frac{1}{2}\sqrt{\frac{1+x}{2-x}}\,\frac{-3}{(1+x)^2} = -\frac{3}{2}\sqrt{\frac{1+x}{2-x}}\,\frac{1}{(1+x)^2}$$

B) $\text{Dom} f' = \{ x \in \text{Dom} f \mid (1 + x)^2 \neq 0,$
$\dfrac{1+x}{2-x} \geq 0 \text{ et } 2 - x \neq 0 \} =]-1, 2[$

C) f' ne s'annule pas.

La seule valeur critique est $x = 2$ (la dérivée n'existe pas).

Il est évident que $f'(x) < 0$ pour tout x appartenant au $\text{Dom} f'$.

3° Dressons le tableau de croissance de f.

Valeurs de x	$]-1, 2[$	2
Signe de f'	–	$\nexists$
Croissance de f	↘	min

Conclusion: La fonction f est décroissante dans l'intervalle $]-1, 2[$. Elle admet un minimum en $x = 2$.

RÉPONSES

a) $f \nearrow$ si $x \in]-\infty, -1[$ et si $x \in]5, +\infty[$
$f \searrow$ si $x]-1, 5[$
maximum en $x = -1$ (max $= f(-1) = 10$)
minimum en $x = 5$ (min $= f(5) = -98$).

b) $f \nearrow$ si $x \in [-\sqrt{8}, -2[$ et si $x \in]0, 2[$
$f \searrow$ si $x \in]-2, 0[$ et si $x \in]2, \sqrt{8}[$,
maximum en $x = -2$ et $x = 2$
(ces maximums étant de $f(-2) = f(2) = 4$)
minimum en $x = -\sqrt{8}$, $x = 0$ et $x = \sqrt{8}$
(ces minimums étant de $f(-\sqrt{8}) = f(0) = f(\sqrt{8}) = 0$).

c) $f \nearrow$ si $x \in]-1, 1[$
$f \searrow$ si $x \in]-\infty, -1[$ et si $x \in]1, +\infty[$
maximum en $x = 1$ (max $= f(1) = \frac{1}{2}$)
minimum en $x = -1$ (min $= f(-1) = -\frac{1}{2}$).

d) $f \searrow$ si $x \in]-1, 2[$
minimum en $x = 2$ (min $= f(2) = 0$).

63. En appliquant le test de la dérivée seconde, trouver les extremums de chaque fonction f définie par

a) $f(x) = 2x^4 + 4x^3 - 6x^2 - 8x + 1$

b) $f(x) = x^5$

SOLUTION

Pour déterminer les extremums relatifs on peut appliquer le test de la dérivée seconde. Il faut dans ce cas

1° Déterminer le domaine de f

2° *A*) Déterminer la fonction dérivée f'

B) Déterminer les zéros de f'

3° *A*) Déterminer la dérivée seconde

B) Étudier le signe de f'' pour les zéros de f'.

a) $f(x) = 2x^4 + 4x^3 - 6x^2 - 8x + 1$

1° Dom $f = R$ (car f est un polynôme)

2° A) $f'(x) = 8x^3 + 12x^2 - 12x - 8 = 4(x-1)(x+2)(2x+1)$

B) $f'(x) = 0$ pour $x = 1, x = -2$ et $x = -\frac{1}{2}$

3° A) $f''(x) = [f'(x)]' = (8x^3 + 12x^2 - 12x - 8)'$
$= 24x^2 + 24x - 12$

B) $f''(1) = 36 > 0$. La fonction admet un minimum en $x = 1$

$f''(-2) = 36 > 0$. La fonction admet un minimum en $x = -2$

$f''(-\frac{1}{2}) = -18 < 0$. La fonction admet un maximum en $x = -\frac{1}{2}$

b) $f(x) = x^5$

1° Dom $f = R$ (car f est un polynôme)

2° A) $f'(x) = 5x^4$

B) $f'(x) = 0$ pour $x = 0$

3° A) $f''(x) = 20x^3$

B) $f''(0) = 0$

Le test de la dérivée seconde ne s'applique pas. Pour trouver les extremums de cette fonction, il faut établir le tableau de croissance de celle-ci.

Valeurs de x	$]-\infty, 0[$	0	$]0, +\infty[$
Signe de f'	+	0	+
Croissance de f	↗		↗

Conclusion: La fonction f est croissante dans tout son domaine.

RÉPONSES

a) minimum en $x = 1$ et $x = -2$
(ces minimums étant de $f(1) = f(-2) = -7$)
maximum en $x = -\frac{1}{2}$ ($\max = f(-\frac{1}{2}) = 3{,}125$).

b) La fonction n'a aucun extremum.

64. Trouver le maximum et le minimum absolus de la fonction *f* définie par

$f(x) = x^5 + 12x^2 - 6$ dans l'intervalle $[-1, 1]$.

SOLUTION

On cherche les extremums absolus d'une fonction continue dans un intervalle fermé parmi les extremums relatifs et les valeurs de la fonction aux extrémités de cet intervalle (figure 59).

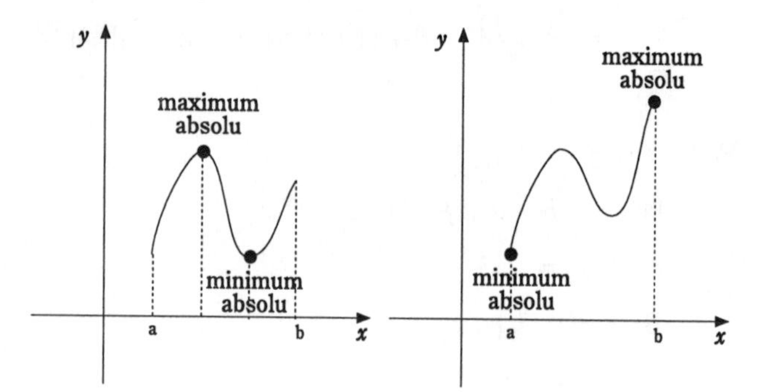

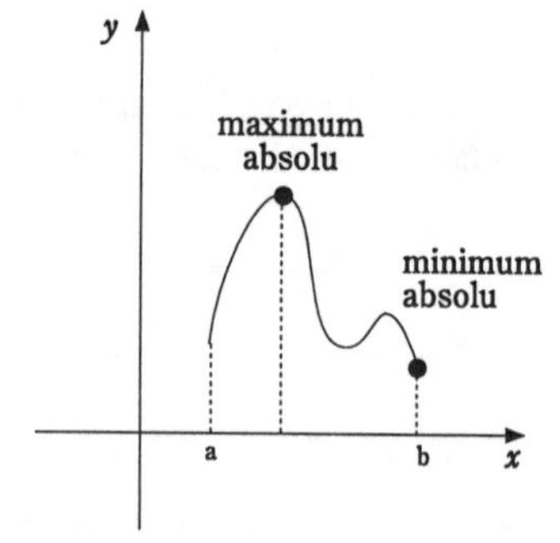

FIGURE 59

Il faut donc

1° Trouver les valeurs critiques situées dans l'intervalle [–1, 1]

2° Calculer $f(x)$ à ces valeurs critiques et aux extrémités $x = -1$ et $x = 1$

3° Trouver la plus grande et la plus petite des valeurs calculées en 2°

Pour la fonction f définie par

$f(x) = x^5 + 12x^2 - 6$ on a

1° $f'(x) = 3x^4 + 24x = 3x(x + 2)(x^2 + 2x + 4)$

$f'(x) = 0$ pour $x = 0$ et $x = -2$

La seule valeur critique située dans l'intervalle [–1, 1] est $x = 0$

2° $f(0) = -6,\ f(-1) = \dfrac{27}{5}$ et $f(1) = \dfrac{33}{5}$

3° La plus grande valeur est $\dfrac{33}{5}$

La plus petite valeur est –6.

RÉPONSES

Maximum absolu $M = \dfrac{33}{5}$

Minimum absolu $m = -6$

65. Construire le tableau de croissance de la fonction f représentée graphiquement sur la figure 60, et trouver le maximum et le minimum absolus, s'il y a lieu.

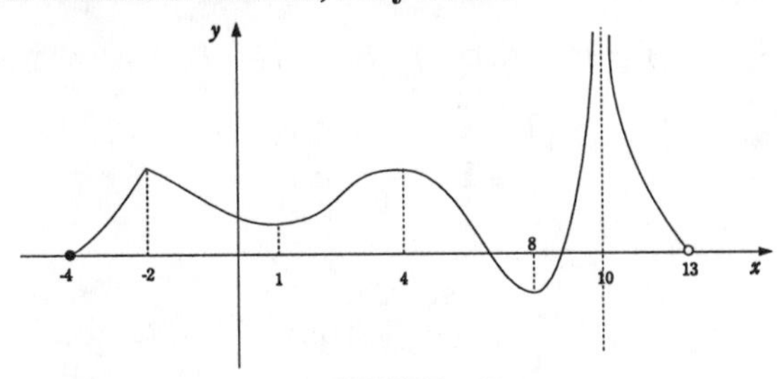

FIGURE 60

SOLUTION

D'après le graphique, la fonction f admet trois minimums relatifs (en $x = -4$, $x = 1$ et $x = 8$). La plus petite valeur, $f(8)$, est le minimum absolu. Il y a deux maximums relatifs (en $x = -2$ et $x = 4$). Par contre, aucun de ces deux maximums n'est un maximum absolu parce que les valeurs de la fonction f pour les abscisses proches de 10 dépassent ces deux maximums relatifs ($\lim_{x \to 10} f(x) = +\infty$), et par conséquent, la fonction f n'a pas de maximum absolu dans son domaine.

RÉPONSE

Valeurs de x	-4	$]-4,-2[$	-2	$]-2,1[$	1	$]1,4[$	4	$]4,8[$	8	$]8,10[$	$]10,13[$
Signe de f'		+		−	0	+	0	−	0	+	−
Croissance de f	min	↗	max	↘	min	↗	max	↘	min	↗	↘

Minimum absolu $= f(8)$, il n'y a pas de maximum absolu.

66. Déterminer les extremums de chaque fonction f définie par

a) $f(x) = |x-1|$

b) $f(x) = |x|$

SOLUTION

Suivons la méthode du problème 62

a) $f(x) = |x-1|$

1° Dom $f = R$ (Dom $|f|$ = Dom f et f est un polynôme)

2° *A)* $f(x) = \begin{cases} 1-x & \text{si } x < 1 \\ x-1 & \text{si } x \geq 1 \end{cases}$

Donc,

$$f'(x) = \begin{cases} -1 & \text{si } x < 1 \\ 1 & \text{si } x > 1 \end{cases}$$

et $f'(1)$ n'existe pas. Comparer avec le problème 57.

B) $\text{Dom} f' = R \setminus \{1\}$

C) f' ne s'annule pas

La seule valeur critique est $x = 1$ (la dérivée n'existe pas). La dérivée $f'(x)$ est négative pour $x < 1$ et positive pour $x > 1$.

3° Établissons le tableau de croissance de f.

Valeurs de x	$]-\infty, 1[$	1	$]1, +\infty[$
Signe de f'	−	∄	+
Croissance de f	↘	min	↗

b) $f(x) = \sqrt[4]{|x|}$

1° $\text{Dom} f = \{ x \in R \mid |x| \geq 0 \} = R$

2° *A*) $f(x) = \begin{cases} \sqrt[4]{-x} & \text{si} \quad x < 0 \\ \sqrt[4]{x} & \text{si} \quad x \geq 0 \end{cases}$

Donc,

$$f'(x) = \begin{cases} -\dfrac{1}{4\sqrt[4]{-x^3}} & \text{si} \quad x < 0 \\ \dfrac{1}{4\sqrt[4]{x^3}} & \text{si} \quad x \geq 0 \end{cases}$$

et $f'(0)$ n'existe pas. Comparer avec le problème 57.

B) $\text{Dom} f' = R \setminus \{0\}$.

C) f' ne s'annule pas.

La seule valeur critique est $x = 0$ (la dérivée n'existe pas).

$f'(x) > 0$ si $x > 0$ et $f'(x) < 0$ si $x < 0$

3°. Établissons le tableau de croissance de f.

Valeurs de x	$]-\infty, 0[$	0	$]0, +\infty[$
Signe de f'	$-$	$\nexists$	$+$
Croissance de f	↘	min	↗

RÉPONSES

a) f admet un minimum en $x = 1$ (min $= f(1) = 0$)

b) f admet un minimum en $x = 0$ (min $= f(0) = 0$)

2 CONCAVITÉ ET POINTS D'INFLEXION

DÉFINITIONS :

- La courbe représentative de la fonction f est concave vers le haut sur $]\,a, b\,[$ si, pour tout $x \in\,]\,a, b\,[$, la tangente au graphique de f au point $(x, f(x))$ est située au-dessous de la courbe.
  On dit aussi que la fonction f est concave vers le haut (figure 61).

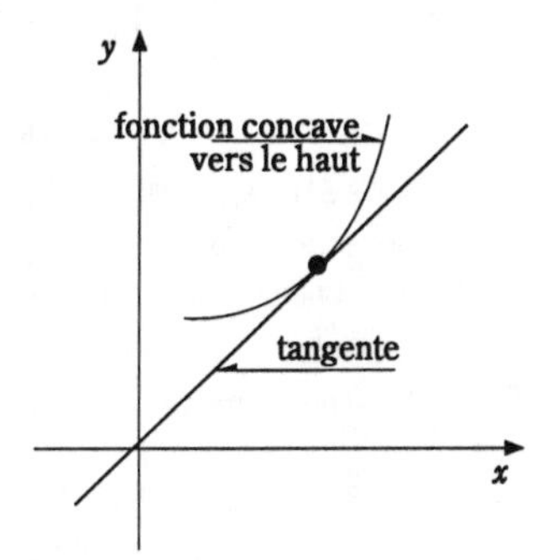

FIGURE 61

- La courbe représentative de la fonction f est concave vers le bas sur $]\,a, b\,[$ si, pour tout $x \in\,]\,a, b\,[$, la tangente au graphique de f au point $(x, f(x))$ est située au-dessus de la courbe.
  On dit aussi que la fonction f est concave vers le bas (figure 62).

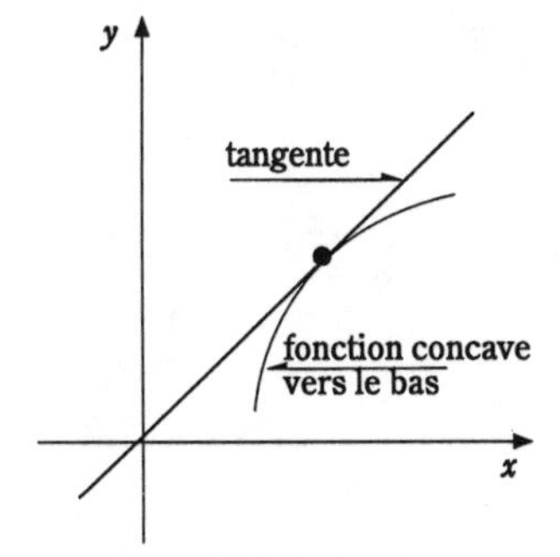

FIGURE 62

- Le point $(x_0, f(x_0))$ est un point d'inflexion de la fonction f si la fonction f change de concavité en ce point (figure 63).

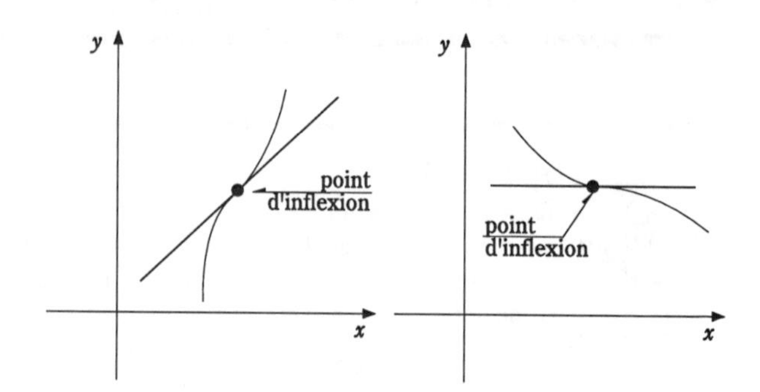

FIGURE 63

- **THÉORÈME SUR LA CONCAVITÉ :** Soit f une fonction telle que $f''(x)$ existe pour tout $x \in \,]\, a, b\, [$.
  Si $f''(x) > 0$ pour tout $x \in \,]\, a, b\, [$, alors f est concave vers le haut sur $]\, a, b\, [$.
  Si $f''(x) < 0$ pour tout $x \in \,]\, a, b\, [$, alors f est concave vers le bas sur $]\, a, b\, [$.
- **THÉORÈME SUR LE POINT D'INFLEXION :**
  Si $(x_0, f(x_0))$ est un point d'inflexion de la fonction f, alors $f''(x_0) = 0$ ou $f''(x_0)$ n'existe pas (figure 64).

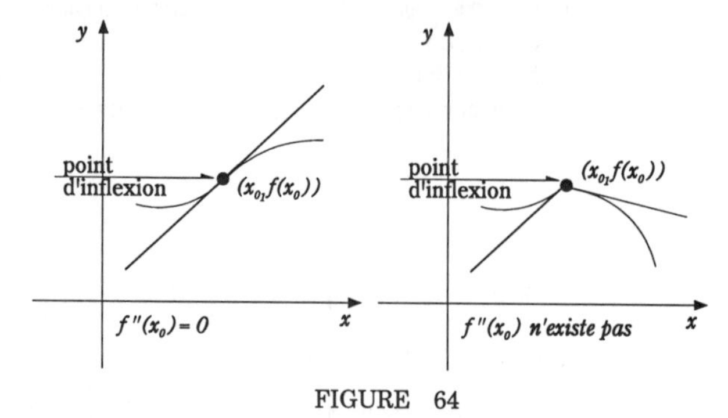

FIGURE 64

Exercices

67. Étudier la concavité et déterminer les points d'inflexion de chaque fonction f définie par

a) $f(x) = x^4 - 8x^3 + 18x^2 + 64x - 11$

b) $f(x) = \dfrac{x+1}{x^2 + 2x + 4}$

c) $f(x) = \sqrt{8x^2 - x^4}$

SOLUTION

Pour étudier la concavité et trouver les points d'inflexion il faut

1° Trouver le domaine de f.

2° Déterminer la fonction dérivée f'.

3° *A*) Déterminer la fonction dérivée seconde f''.

B) Trouver le domaine de f''.

C) Trouver les valeurs critiques de second ordre (les valeurs x du domaine de la fonction f pour lesquelles $f''(x) = 0$ ou $f''(x)$ n'existe pas) et étudier le signe de f''.

4° Dresser le tableau de concavité de la fonction f.

a) $f(x) = x^4 - 8x^3 + 18x^2 + 64x - 11$

1° Dom $f = R$ (parce que f est un polynôme)

2° $f'(x) = 4x^3 - 24x^2 + 36x + 64$

3° *A*) $f''(x) = 12x^2 - 48x + 36 = 12(x-1)(x-3)$

B) Dom $f'' = R$ (parce que f'' est un polynôme)

C) $f''(x) = 0$ pour $x = 1$ et $x = 3$

Les valeurs critiques de second ordre sont $x = 1$ et $x = 3$ (la dérivée seconde s'annule).

Établissons un tableau pour connaître le signe de f''.

Valeurs de x	$]-\infty, 1[$	$]1, 3[$	$]3, +\infty[$
Signe de $(x-1)$	$-$	$+$	$+$
Signe de $(x-3)$	$-$	$-$	$+$
Signe de f''	$+$	$-$	$+$

4° Établissons le tableau de concavité de f.

Dans le tableau de concavité, on considère toutes les valeurs du domaine de la fonction et on fait une colonne particulière pour les valeurs qui bornent ce domaine et pour chaque valeur critique de second ordre.

Valeurs de x	$]-\infty, 1[$	1	$]1, 3[$	3	$]3, +\infty[$
Signe de f''	$+$	0	$-$	0	$+$
Concavité de f	$\cup$ concave vers le haut	P.I.	$\cap$ concave vers le bas	P.I.	$\cup$ concave vers le haut

Conclusion: Il y a deux P.I. (points d'inflexion), à savoir $(1, f(1))$ et $(3, f(3))$. La fonction f est concave vers le haut dans les intervalles $]-\infty, 1[$ et $]3, +\infty[$, elle est concave vers le bas dans l'intervalle $]1, 3[$.

b) $f(x) = \dfrac{x+1}{x^2+2x+4}$

1° $\text{Dom}\, f = \{x \in R \mid x^2 + 2x + 4 \neq 0\} = R$

2° $f'(x) = \left(\dfrac{x+1}{x^2+2x+4}\right)'$

$$= \frac{1\,(x^2+2x+4) - (x+1)\,(2x+2)}{(x^2+2x+4)^2}$$

$$= \frac{-x^2 - 2x + 2}{(x^2 + 2x + 4)^2}$$

3⁰ A) $f''(x) = [f'(x)]'$

$$= \frac{(-2x-2)(x^2+2x+4)^2 - (-x^2-2x+2)[2(x^2+2x+4)(2x+2)]}{(x^2+2x+4)^4}$$

$$= \frac{2(x+1)(x-2)(x+4)}{(x^2+2x+4)^3}$$

B) $\text{Dom} f'' = \{x \in \text{Dom} f' \mid x^2 + 2x + 4 \neq 0\} = R$

C) $f''(x) = 0$ pour $x = -4$, $x = -1$ et $x = 2$

Les valeurs critiques de second ordre sont $x = -4$, $x = -1$ et $x = 2$ (la dérivée seconde s'annule).

Valeurs de x	$]\infty-, -4[$	$]-4, -2[$	$]-1, 2[$	$]2, +\infty[$
Signe de $(x + 4)$	–	+	+	+
Signe de $(x + 1)$	–	–	+	+
Signe de $(x - 2)$	–	–	–	+
Signe de $(x^2 + 2x + 4)^3$	+	+	+	+
Signe de f''	–	+	–	+

4⁰ Établissons le tableau de concavité de f.

Valeurs de x	$]-\infty, -4[$	-4	$]-4, -1[$	-1	$]-1, 2[$	2	$]2, +\infty[$
Signe de f''	–	0	+	0	–	0	+
Concavité de f	$\cap$	P.I.	$\cup$	P.I.	$\cap$	P.I.	$\cup$

Conclusion: La fonction admet trois points d'inflexion, à savoir $(-4, f(-4))$, $(-1, f(-1))$ et $(2, f(2))$. Elle est concave vers le bas sur $]-\infty, -4[$ et $]-1, 2[$ et concave vers le haut sur $]-4, -1[$ et $]2, +\infty[$.

c) $f(x) = \sqrt{8x^2 - x^4}$

1° $\text{Dom} f = \{x \in \mathbb{R} \mid 8x^2 - x^4 \geq 0\} = [-\sqrt{8}, +\sqrt{8}]$

2° $f'(x) = (\sqrt{8x^2 - x^4})'$

$$= \frac{1}{2\sqrt{8x^2 - x^4}}(8x^2 - x^4)'$$

$$= \frac{8x - 2x^3}{\sqrt{8x^2 - x^4}}$$

3° A) $f''(x) = \left[\dfrac{8x - 2x^3}{\sqrt{8x^2 - x^4}}\right]'$

$$= \frac{(8 - 6x^2)\sqrt{8x^2 - x^4} - (8x - 2x^3)\dfrac{8x - 2x^3}{\sqrt{8x^2 - x^4}}}{8x^2 - x^4}$$

$$= \frac{2x^2(x - \sqrt{12})(x + \sqrt{12})}{(8 - x^2)\sqrt{8x^2 - x^4}}$$

B) $\text{Dom} f'' = \{x \in \text{Dom} f \mid (8 - x^2)\sqrt{8x^2 - x^4} \neq 0$ et $8x^2 - x^4 \geq 0\}$
$=]-\sqrt{8}, 0[\cup]0, \sqrt{8}[$

C) La dérivée seconde ne s'annule pas ($\sqrt{12}$ et $-\sqrt{12}$ n'appartiennent pas au domaine de f'').
Les valeurs critiques de second ordre sont $x = \pm\sqrt{8}$ et $x = 0$ (la dérivée seconde n'existe pas).

Valeurs de x	$]-\sqrt{8}, 0[$	$]0, \sqrt{8}[$
Signe de x^2	+	+
Signe de $(x - \sqrt{12})$	–	–
Signe de $(x + \sqrt{12})$	+	+
Signe de $(8 - x^2)$	+	+
Signe de $8x^2 - x^4$	+	+
Signe de f''	–	–

4° Établissons le tableau de concavité de f.

Valeurs de x	$-\sqrt{8}$	$]-\sqrt{8}, 0[$	0	$]0, \sqrt{8}[$	$\sqrt{8}$
Signe de f''	$\nexists$	$-$	$\nexists$	$-$	ò
Concavité de f		$\cap$		$\cap$	

Conclusion: La fonction est concave vers le bas dans les intervalles $]-\sqrt{8}, 0[$ et $]0, \sqrt{8}[$, elle n'admet aucun point d'inflexion.

En $x = 0$ la fonction n'est pas concave vers le bas, (figure 65).

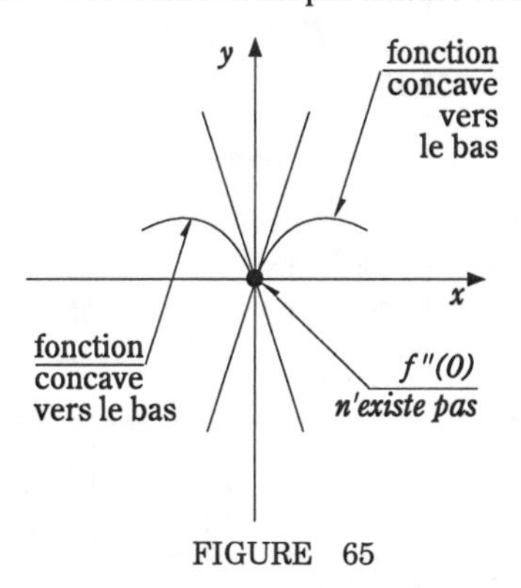

FIGURE 65

RÉPONSES

a) Intervalles de concavité vers le haut: $]-\infty, 1[$ et $]3, +\infty[$
Intervalle de concavité vers le bas: $]1, 3[$
Points d'inflexion: $(1, f(1))$ et $(3, f(3))$

b) Intervalles de concavité vers le haut: $]-4, -1[$ et $]2, +\infty[$
Intervalles de concavité vers le bas: $]-\infty, -4[$ et $]-1, -2[$
Points d'inflexion: $(-4, f(-4))$, $(-1, f(-1))$ et $(2, f(2))$

c) Intervalles de concavité vers le bas: $]-\sqrt{8}, 0[$ et $]0, \sqrt{8}[$
Aucun point d'inflexion.

68. Dresser le tableau de concavité de la fonction f définie par le graphique représenté à la figure 66.

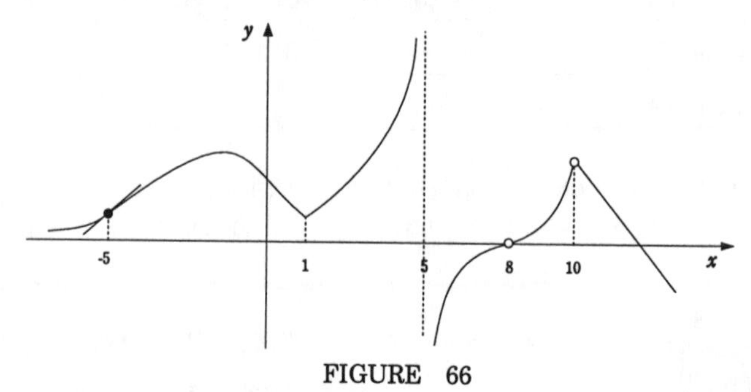

FIGURE 66

SOLUTION ET RÉPONSE

1° La droite n'est ni concave vers le haut ni concave vers le bas.

2° $x = 8 \notin \text{Dom} f$ (ainsi que $x = 10$). Donc, il n'y a pas d'inflexion en $x = 8$, même s'il y a changement de concavité.

Valeurs de x	$]-\infty,-5[$	-5	$]-5,1[$	1	$]1,5[$	$]5,8[$	$]8,10[$	$]10,+\infty[$
Signe de f''	$+$	0	$-$	$\nexists$	$+$	$-$	$+$	0
Concavité de f	$\cup$	P.I.	$\cap$	P.I.	$\cup$	$\cap$	$\cup$	

69. Déterminer les points d'inflexion de chaque fonction f définie par

a) $f(x) = 3x^5 - 10x^3 + 20x$

b) $f(x) = \begin{cases} -x^2 & \text{si} \quad x < 0 \\ x^2 & \text{si} \quad x \geq 0 \end{cases}$

c) $f(x) = \begin{cases} -\sqrt{-x} & \text{si} \quad x < 0 \\ \sqrt{x} & \text{si} \quad x \geq 0 \end{cases}$

SOLUTION

Suivons la méthode du problème 67

a) $f(x) = 3x^5 - 10x^3 + 20x$

1° Dom $f = R$ (parce que f est un polynôme)

2° $f'(x) = 15x^4 - 30x^2 + 20$

3° *A*) $f''(x) = 60x^3 - 60x = 60\,x\,(x-1)(x+1)$

B) Dom $f'' = R$ (parce que f'' est un polynôme)

C) $f''(x) = 0$ pour $x = 0, x = 1$ et $x = -1$

Les valeurs critiques de second ordre sont $x = \pm 1$ et $x = 0$ (la dérivée seconde s'annule).

4° Établissons le tableau de signe de f'' et de concavité de la fonction f.

Valeurs de x	$]-\infty, -1[$	-1	$]-1, 0[$	0	$]0, 1[$	1	$]1, +\infty[$
Signe de x	$-$	$-$	$-$	0	$+$	$+$	$+$
Signe de $(x-1)$	$-$	$-$	$-$	$-$	$-$	0	$+$
Signe de $(x+1)$	$-$	0	$+$	$+$	$+$	$+$	$+$
Signe de f''	$-$	0	$+$	0	$-$	0	$+$
Concavité de f	$\cap$	P.I.	$\cup$	P.I.	$\cap$	P.I.	$\cup$

La dernière ligne nous fournit la réponse.

b) $f(x) = \begin{cases} -x^2 & \text{si} \quad x < 0 \\ x^2 & \text{si} \quad x \geq 0 \end{cases}$

1° Dom $f = R$

2° $f'(x) = \begin{cases} -2x & \text{si} \quad x < 0 \\ 0 & \text{si} \quad x = 0 \\ 2x & \text{si} \quad x > 0 \end{cases}$

(Comparer avec le problème 57)

3⁰ A) $f''(x) = \begin{cases} -2 & \text{si} \quad x < 0 \\ 2 & \text{si} \quad x > 0 \end{cases}$

La dérivée seconde n'est pas définie pour $x = 0$, parce que $f''(0) \neq f_+''(0)$. En effet,

$$f''(0) = \lim_{x \to 0^-} \frac{f'(x) - f'(0)}{x - 0} = \lim_{x \to 0^-} \frac{-2x - 0}{x - 0} = -2$$

$$\text{et } f''(0) = \lim_{x \to 0^-} \frac{f'(x) - f'(0)}{x - 0} = \lim_{x \to 0^+} \frac{2x - 0}{x} = 2$$

B) Dom $f'' = R \setminus \{0\}$

C) f'' ne s'annule pas.

La seule valeur critique de second ordre est $x = 0$ (la dérivée seconde n'existe pas).

$f''(x) > 0$ pour $x > 0$ et $f''(x) < 0$ pour $x < 0$

4⁰ Établissons le tableau de concavité de f.

Valeurs de x	$]-\infty, 0[$	0	$]0, +\infty[$
Signe de f''	−	$\nexists$	+
Concavité de f	$\cap$	P.I.	$\cup$

Conclusion: Le point d'inflexion est $(0, f(0))$ (figure 67).

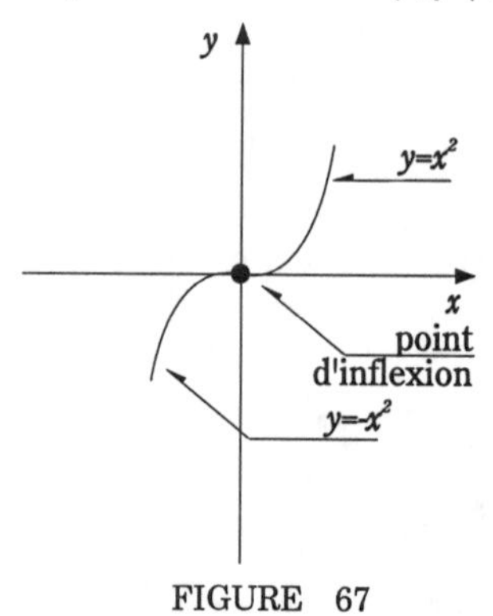

FIGURE 67

Conclusion: Le point d'inflexion est $(0, f(0))$ (figure 67).

c) $f(x) = \begin{cases} -\sqrt{-x} & \text{si} \quad x < 0 \\ \sqrt{x} & \text{si} \quad x \geq 0 \end{cases}$

1⁰ $\text{Dom} f = R$

2⁰ $f'(x) = \begin{cases} \dfrac{1}{2\sqrt{-x}} & \text{si} \quad x < 0 \\ \dfrac{1}{2\sqrt{x}} & \text{si} \quad x \geq 0 \end{cases}$

(Comparer avec le problème 57)

3⁰ *A*) $f''(x) = \begin{cases} \dfrac{1}{4\sqrt{-x^3}} & \text{si} \quad x < 0 \\ -\dfrac{1}{4\sqrt{x^3}} & \text{si} \quad x > 0 \end{cases}$

B) $\text{Dom} f'' = R \setminus \{ 0 \}$

C) f'' ne s'annule pas.

La seule valeur critique de second ordre est $x = 0$ (la dérivée seconde n'existe pas).

$f''(x) > 0$ pour $x < 0$ et $f''(x) < 0$ pour $x > 0$

4⁰ Voyons le tableau de concavité.

Valeurs de x	$]-\infty, 0[$	0	$]0, +\infty[$
Signe de f''	$+$	$\nexists$	$-$
Concavité de f	$\cup$	P.I.	$\cap$

La concavité change en passant par $x = 0$ donc $(0, f(0))$ est le point d'inflexion (figure 68).

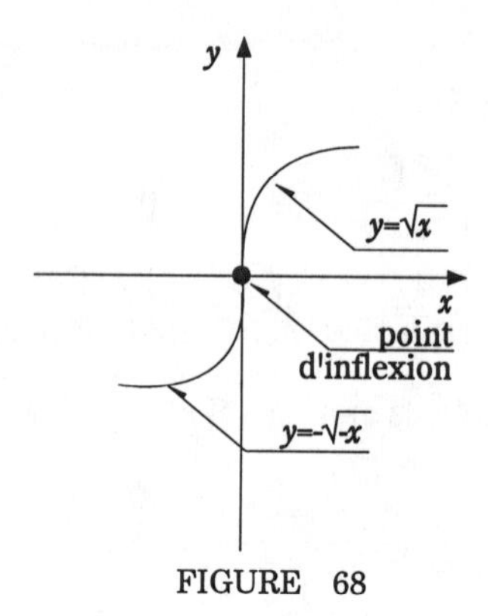

FIGURE 68

RÉPONSES

a) Trois points d'inflexion : $(-1, f(-1))$, $(0, f(0))$ et $(1, f(1))$

b) Un point d'inflexion : $(0, f(0))$

c) Un point d'inflexion : $(0, f(0))$

3 ÉTUDE COMPLÈTE D'UNE FONCTION

Exercices

70. Étudier la croissance et la concavité; trouver les extremums et les points d'inflexion de la fonction *f* définie par

$f(x) = 2x^2\sqrt{15-x}$

SOLUTION

Suivons les démarches des exercices 62 et 67.

1° $\text{Dom} f = \{ x \in R \mid 15 - x \geq 0 \} =]-\infty, 15]$

2° *A*) $f'(x) = (2x^2\sqrt{15-x})'$

$$= 4x\sqrt{15-x} + 2x^2\frac{-1}{2\sqrt{15-x}}$$

$$= \frac{4x(15-x)-x^2}{\sqrt{15-x}} = \frac{60x-5x^2}{\sqrt{15-x}}$$

$$= \frac{5x(12-x)}{\sqrt{15-x}}$$

B) $\text{Dom} f' = \{ x \in \text{Dom} f \mid 15-x \geq 0 \text{ et } 15-x \neq 0 \} =]-\infty, 15[$

C) $f'(x) = 0$ pour $x = 0$ et $x = 12$

Les valeurs critiques sont $x = 0, x = 12$ (la dérivée s'annule) et $x = 15$ (la dérivée n'existe pas).

Valeurs de x	$]-\infty, 0[$	$]0, 12[$	$]12, 15[$
Signe de $(5x)$	$-$	$+$	$+$
Signe de $(12-x)$	$+$	$+$	$-$
Signe de $15-x$	$+$	$+$	$+$

3° *A*) $f''(x) = \left(\dfrac{60x - 5x^2}{\sqrt{15-x}}\right)'$

$$= \frac{(60-10x)\sqrt{15-x} - (60x-5x^2)\dfrac{-1}{2\sqrt{15-x}}}{15-x}$$

$$= \frac{15\,(x^2 - 24x + 120)}{2\sqrt{15-x}\,(15-x)}$$

B) $\text{Dom} f'' = \{x \in \text{Dom} f' \mid 15 - x \geq 0 \text{ et } \sqrt{15-x}\,(15-x) \neq 0\}$
$=]-\infty, 15[$

C) $f''(x) = 0$ pour $x = 12 - 2\sqrt{6}$ (la valeur $x = 12 + 2\sqrt{6}$ étant plus grande que 15, elle n'appartient pas au domaine de f'').

Valeurs de x	$]-\infty, 12 - 2\sqrt{6}[$	$]12 - 2\sqrt{6}, 15[$
Signe de $(x^2 - 24x + 120)$	+	–
Signe de $\sqrt{15-x}$	+	+
Signe de $(15 - x)$	+	+
Signe de f''	+	–

4° Établissons le tableau de croissance et de concavité de f.

Valeurs de x	$]-\infty, 0[$	0	$]0, 12-2\sqrt{6}[$	$12-2\sqrt{6}$	$]12-2\sqrt{6}, 12[$	12	$]12,15[$	15
Signe de f'	–	0	+	+	+	0	–	∄
Signe de f''	+	+	+	0	–	–	–	∄
Croissance et concavité de f	↘ (concave vers le haut)	min	↗ (concave vers le haut)	P.I.	↗ (concave vers le bas)	max	↘ (concave vers le bas)	min

RÉPONSE

La fonction f est décroissante et concave vers le haut dans l'intervalle $]-\infty, 0[$, est croissante et concave vers le haut dans $]0, 12 - 2\sqrt{6}[$, est croissante et concave vers le bas dans $]12 - 2\sqrt{6}, 12[$ et est décroissante et concave vers le bas dans] 12, 15 [. Il y a deux minimums relatifs en $x = 0$ (min $= f(0) = 0$) et en $x = 15$ (min $= f(15) = 0$), un maximum relatif en $x = 12$ (max $= f(12) = 288\sqrt{3}$). La fonction admet un point d'inflexion, dont les coordonnées sont ($12 - 2\sqrt{6}, f(12 - 2\sqrt{6})$).

71. Faire l'étude complète et tracer le graphique de chaque fonction *f* définie par

a) $f(x) = x^3 - 4x^2 + 4x + 9$

b) $f(x) = \dfrac{x^4}{x^3 + 1}$

c) $f(x) = \sqrt{\dfrac{2 - x}{1 + x}}$

d) $f(x) = \dfrac{x^2}{x^2 - 1}$

SOLUTION ET RÉPONSE

Pour faire l'étude complète d'une fonction, il faut

1° *A*) Déterminer le domaine de *f*.

B) Trouver les asymptotes.

C) Trouver les points de rencontre du graphique avec les axes.

2° *A*) Calculer la fonction dérivée f'.

B) Déterminer le domaine de f'.

C) Trouver les valeurs critiques et étudier le signe de f'.

3° *A*) Calculer la fonction dérivée seconde f''.

B) Déterminer le domaine de f''.

C) Trouver les valeurs critiques de second ordre et étudier le signe de f''.

4° Construire le tableau complet.

5° Tracer le graphique de *f*.

a) $f(x) = x^3 - 4x^2 + 4x + 9$

1° *A*) Dom $f = R$ (parce que f est un polynôme)

B) La fonction f est continue sur R. Donc, elle ne possède aucune asymptote verticale. De plus, elle ne possède pas d'asymptote horizontale parce que

$$\lim_{x \to +\infty} f(x) = +\infty \quad \text{et que} \quad \lim_{x \to -\infty} f(x) = -\infty$$

C) $f(0) = 9$. Donc, le graphique coupe l'axe des ordonnées au point $(0, 9)$.
$f(x) = 0$ pour $x = -1$ (parce que $f(x) = (x + 1)(x^2 - 5x + 9)$).
Donc, $(-1, 0)$ est le point de rencontre avec l'axe des abscisses.

2° *A*) $f'(x) = 3x^2 - 8x + 4 = (x - 2)(3x - 2)$,

B) Dom $f' = R$ (parce que f' est un polynôme),

C) $f'(x) = 0$ pour $x = 2$ et $x = \dfrac{2}{3}$

Les valeurs critiques sont $x = 2$ et $x = \dfrac{2}{3}$ (la dérivée s'annule).

$f'(x) > 0$ si $x < \dfrac{2}{3}$ ou $x > 2$

$f'(x) < 0$ si $\dfrac{2}{3} < x < 2$

3° *A*) $f''(x) = 6x - 8$

B) Dom $f'' = R$ (parce que f'' est un polynôme),

C) $f''(x) = 0$ pour $x = \dfrac{4}{3}$

La seule valeur critique de second ordre est $x = \dfrac{4}{3}$ (la dérivée seconde s'annule).

$f''(x) > 0$ si $x > \dfrac{4}{3}$ et $f''(x) < 0$ si $x < \dfrac{4}{3}$

4° Établissons le tableau complet de f.

REMARQUE Au tableau de croissance et de concavité, on ajoute une ligne pour les valeurs de la fonction et deux colonnes pour les extrémités du domaine de la fonction dans lesquelles on indique les limites de f à ces extrémités.

Valeurs de x	$-\infty$	$]-\infty, \frac{2}{3}[$	$\frac{2}{3}$	$]\frac{2}{3}, \frac{4}{3}[$	$\frac{4}{3}$	$]\frac{4}{3}, 2[$	2	$]2, +\infty[$	$+\infty$
Signe de f'		+	0	–	–	–	0	+	
Signe de f''		–	–	–	0	+	+	+	
Croissance et concavité de f		↗	max	↘	P.I.	↘	min	↗	
Valeur ou limite de f	$-\infty$		$\frac{275}{27}$		$\frac{259}{27}$		9		$+\infty$

5° Voir la courbe de f représentée à la figure 69.

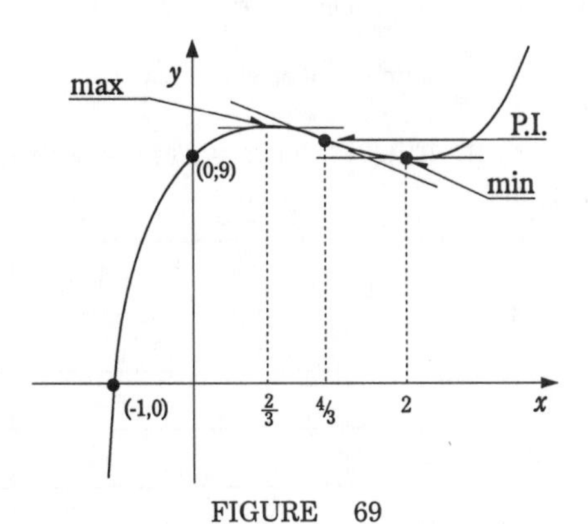

FIGURE 69

b) $f(x) = \dfrac{x^4}{x^3 + 1}$

1° A) $\text{Dom} f = \{ x \in R \mid x^3 + 1 \neq 0 \} = R \setminus \{ -1 \}$

B) La fonction f est discontinue en $x = -1$. Donc, elle peut avoir une asymptote verticale en ce point. Les limites

$$\lim_{x \to -1^-} \frac{x^4}{x^3+1} = \frac{1}{0^-} = -\infty \quad \text{et} \quad \lim_{x \to -1^+} \frac{x^4}{x^3+1} = \frac{1}{0^+} = +\infty$$

indiquent que la droite $x = -1$ est l'asymptote verticale.

La fonction f possède une asymptote oblique $y = x$ parce que

$$f(x) = x - \frac{x}{x^3+1} \quad \text{et que}$$

$$\lim_{x \to \pm\infty} \frac{x}{x^3+1} = 0$$

(Comparer avec le problème 44)

C) $f(0) = 0$. Donc, le graphique coupe les axes au point (0, 0).

2° *A*) $$f'(x) = \left(\frac{x^4}{x^3+1}\right)' = \frac{4x^3(x^3+1) - x^4(3x^2)}{(x^3+1)^2}$$

$$= \frac{x^3(x^3+4)}{(x^3+1)^2}$$

B) $\text{Dom} f' = \{x \in \text{Dom} f \mid (x^3+1)^2 \neq 0\} = R \setminus \{-1\}$

C) $f'(x) = 0$ pour $x = 0$ et $x = -\sqrt[3]{4}$

Les valeurs critiques sont $x = 0$ et $x = -\sqrt[3]{4}$ (la dérivée s'annule).

Valeurs de x	$]-\infty, -\sqrt[3]{4}[$	$]-\sqrt[3]{4}, -1[$	$]-1, 0[$	$]0, +\infty[$
Signe de (x^3)	–	–	–	+
Signe de $(x^3 + 4)$	–	+	+	+
Signe de $(x^3 + 1)^2$	+	+	+	+
Signe de f'	+	–	–	+

3° *A*) $$f''(x) = \left(\frac{x^6 - 4x^3}{(x^3+1)^2}\right)'$$

$$= \frac{(6x^5 + 12x^2)(x^3+1)^2 - (x^6 - 4x^3)\,[2\,(x^3+1)\,3x^2]}{(x^3+1)^4}$$

$$= \frac{-6x^2\,(x^3 - 2)}{(x^3+1)^3}$$

B) $\text{Dom} f'' = \{\, x \in \text{Dom} f' \mid (x^3+1)^3 \neq 0 \,\} = R \setminus \{ -1 \}$

C) $f''(x) = 0$ pour $x = 0$ et $x = \sqrt[3]{2}$

Les valeurs critiques de second ordre sont $x = 0$ et $x = \sqrt[3]{2}$ (la dérivée seconde s'annule).

Valeurs de x	$]-\infty, -1[$	$]-1, 0[$	$]0, \sqrt[3]{2}[$	$]\sqrt[3]{2}, +\infty[$
Signe de $(-6x^2)$	−	−	−	−
Signe de $(x^3 - 2)$	−	−	−	+
Signe de $(x^3 + 1)^3$	−	+	+	+
Signe de f''	−	+	+	−

4° Voir tableau complet ci–dessous

Valeurs de x	$-\infty$	$]-\infty, -\sqrt[3]{4}[$	$-\sqrt[3]{4}$	$]-\sqrt[3]{4}, -1[$	$]-1, 0[$	0	$]0, \sqrt[3]{2}[$	$\sqrt[3]{2}$	$]\sqrt[3]{2}, +\infty[$	$+\infty$
Signe de f'		+	0	−	−	0	+	+	+	
Signe de f''		−	−	−	+	0	+	0	−	
Croissance et concavité de f		↗	max	↘	↘	min	↗	P.I.	↗	
Valeur ou limite de f	$-\infty$		$\frac{-4\sqrt[3]{4}}{3}$			0		$\frac{2\sqrt[3]{2}}{3}$		$+\infty$

5°. Voir le graphique de f représenté à la figure 70.

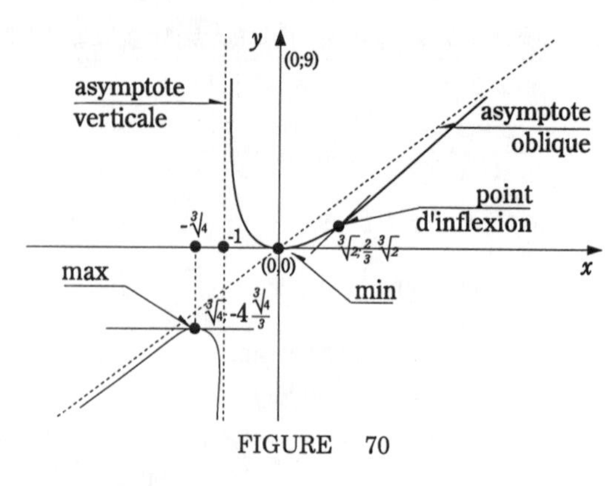

FIGURE 70

c) $f(x) = \sqrt{\dfrac{2-x}{1+x}}$

1° *A*) $\text{Dom} f = \{x \in R \mid \dfrac{2-x}{1+x} \geq 0 \text{ et } 1 + x \neq 0\} =]-1, 2\,]$,

B) La fonction f est discontinue en $x = -1$. Donc, f pourrait avoir une asymptote verticale en ce point.

On a $\lim\limits_{x \to -1^+} \sqrt{\dfrac{2-x}{1+x}} = \sqrt{\dfrac{3}{0^+}} = +\infty$

Donc, la droite d'équation $x = -1$ est l'asymptote verticale de f.

$\lim\limits_{x \to -1^-} \sqrt{\dfrac{2-x}{1+x}}$ n'existe pas parce que f n'est pas définie pour $x < -1$.

La fonction f n'a pas d'asymptotes horizontales ni d'asymptotes obliques parce que on ne peut pas faire tendre x vers l'infini.

C) $f(0) = \sqrt{2}$. Donc, le point d'intersection de la courbe de f avec l'axe des ordonnées est $(0, \sqrt{2})$.
$f(x) = 0$ pour $x = 2$. Donc, le point d'intersection de la courbe de f avec l'axe des abscisses est $(2, 0)$.

2° *A*) $$f'(x) = \left(\sqrt{\frac{2-x}{1+x}}\right)$$

$$= \frac{1}{2\sqrt{\frac{2-x}{1+x}}} \left(\frac{2-x}{1+x}\right)'$$

$$= \frac{1}{2}\sqrt{\frac{1-x}{2-x}} \quad \frac{-3}{(1+x)^2}$$

B) $\text{Dom}\, f' = \{ x \in \text{Dom}\, f' \mid \frac{1+x}{2-x} \geq 0, 2-x \neq 0$ et $(1+x)^2 \neq 0 \} =]-1, 2[,$

C) $f'(x)$ ne s'annule pas.
La seule valeur critique est $x = 2$ (la dérivée n'existe pas).
Il est évident que la dérivée f' est négative dans son domaine.

3° *A*) $$f''(x) = \left(\frac{1}{2}\sqrt{\frac{1+x}{2-x}} \quad \frac{-3}{(1+x)^2}\right)'$$

$$= -\frac{3}{2}\left[\left(\sqrt{\frac{1+x}{2-x}}\right)' \frac{1}{(1+x)^2} + \sqrt{\frac{1+x}{2-x}}\left(\frac{1}{(1+x)^2}\right)'\right]$$

$$= \frac{3}{4} \; \frac{5-4x}{(1+x)^2\,(2-x)^2}\sqrt{\frac{2-x}{1+x}}$$

B) $\text{Dom}\, f'' = \{ x \in \text{Dom}\, f' \mid (1+x)^2\ (2-x)^2 \neq 0, \frac{2-x}{1+x} \geq 0$ et $1 + x \neq 0 \}$

$C)\ f''(x) = 0$ pour $x = \frac{5}{4}$

Les valeurs critiques de second ordre sont $x = \frac{5}{4}$ (la dérivée seconde s'annule) et $x = 2$ (la dérivée seconde n'existe pas).

Valeurs de x	$]-1, \frac{5}{4}[$	$]\frac{5}{4}, 2[$
Signe de $(5-4x)$	+	–
Signe de $(2-x)^2$	+	+
Signe de $(1+x)^2$	+	+
Signe de $\sqrt{\frac{2-x}{1+x}}$	+	+
Signe de f''	+	–

4° Voir tableau complet ci–dessous.

Valeurs de x	-1	$]-1, \frac{5}{4}[$	$\frac{5}{4}$	$]\frac{5}{4}, 2[$	2
Signe de f'		–	–	–	$\nexists$
Signe de f''		+	0	–	$\nexists$
Croissance et concavité de f		↘ (concave vers le haut)	P.I.	↘ (concave vers le bas)	
Valeur ou limite de f	$+\infty$		$\frac{1}{\sqrt{3}}$		0

5° Voir la courbe de f représentée à la figure 71.

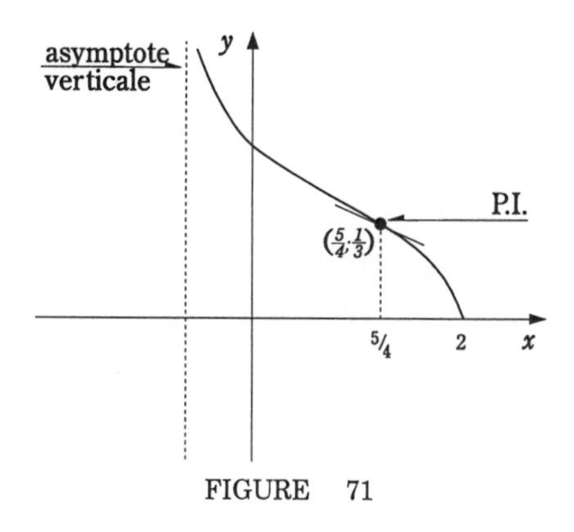

FIGURE 71

d) $f(x) = \dfrac{x^2}{x^2 - 1}$

1° *A*) $\text{Dom} f = \{x \in R \mid x^2 - 1 \neq 0\} = R \setminus \{-1, 1\}$

B) La droite $x = -1$ est l'asymptote verticale parce que

$$\lim_{x \to -1^-} \frac{x^2}{x^2 - 1} = \frac{1}{0^+} = +\infty \text{ et que}$$

$$\lim_{x \to -1^+} \frac{x^2}{x^2 - 1} = \frac{1}{0^-} = -\infty$$

La droite $x = 1$ est l'asymptote verticale parce que

$$\lim_{x \to 1^-} \frac{x^2}{x^2 - 1} = \frac{1}{0^-} = -\infty \text{ et que}$$

$$\lim_{x \to 1^+} \frac{x^2}{x^2 - 1} = \frac{1}{0^+} = +\infty$$

La droite $y = 1$ est l'asymptote horizontale parce que

$$\lim_{x \to \pm\infty} \frac{x^2}{x^2 - 1} = \lim_{x \to \pm\infty} \frac{1}{1 - 1/x^2} = 1$$

C) $f(0) = 0$. Donc, la courbe de f coupe les axes au point $(0, 0)$.

2° *A*) $f'(x) = \left(\dfrac{x^2}{x^2 - 1}\right)' = \dfrac{2x\,(x^2 - 1) - x^2(2x)}{(x^2 - 1)^2}$

$$= \frac{-2x}{(x^2 - 1)^2}$$

B) $\text{Dom} f' = \{ x \in \text{Dom} f \mid (x^2 - 1)^2 \neq 0 \} = R \setminus \{ -1, 1 \}$

C) $f'(x) = 0$ pour $x = 0$.

La seule valeur critique est $x = 0$ (la dérivée s'annule).

Valeurs de x	$]-\infty, -1[$	$]-1, 0[$	$]0, 1[$	$]1, +\infty[$
Signe de $(-2x)$	+	+	–	–
Signe de $(x^2 - 1)^2$	+	+	+	+
Signe de f'	+	+	–	+

3° *A*) $$f''(x) = \left(\frac{-2x}{(x^2 - 1)^2}\right)'$$

$$= \frac{-2\,(x^2 - 1)^2 - (-2x)\,[\,2\,(x^2 - 1)\,2x\,]}{(x^2 - 1)^4}$$

$$= \frac{2\,(2x^2 + 1)}{(x - 1)^3\,(x + 1)^3}$$

B) $\text{Dom} f'' = \{ x \in \text{Dom} f' \mid (x - 1)^3 (x + 1)^3 \neq 0 \}$
$= R \setminus \{-1, 1\}$,

C) La dérivée seconde ne s'annule pas. Il n'y a pas de valeurs critiques de second ordre.

Valeurs de x	$]-\infty, -1[$	$]-1, 1[$	$]1, +\infty[$
Signe de $(3x^2 + 1)$	+	+	+
Signe de $(x - 1)^3$	–	–	+
Signe de $(x + 1)^3$	–	+	+
Signe de f''	+	–	+

4° Voir tableau complet ci–dessous.

Valeurs de x	$-\infty$	$]-\infty, -1[$	$]-1, 0[$	0	$]0, 1[$	$]1, +\infty[$	$+\infty$
Signe de f'		$+$	$+$	0	$-$	$-$	
Signe de f''		$+$	$-$	$-$	$-$	$+$	
Croissance et concavité de f		↗	↗	max	↘	↘	
Valeur ou limite de f	1			0			1

5° Voir la courbe de f représentée à la figure 72.

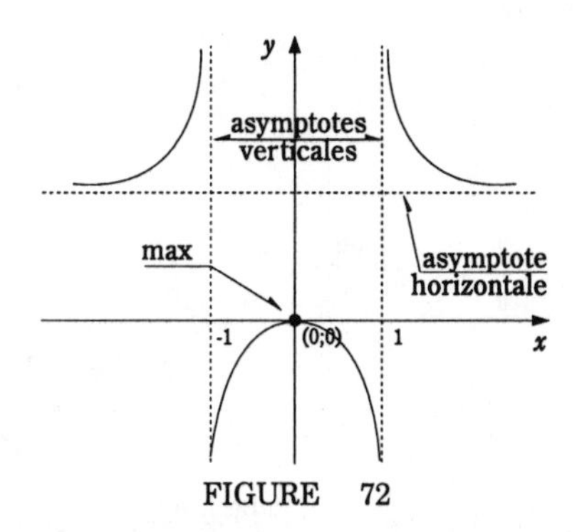

FIGURE 72

72. Tracer le graphique d'une fonction qui satisfait aux conditions suivantes:

a) $f'(x) < 0$ si $x < 0, 3 < x < 6$ et $x > 6$

$f'(x) > 0$ si $0 < x < 3$

b) $f'(3) = 0$

c) $f''(x) < 0$ si $0 < x < 6$

$f''(x) > 0$ si $x > 6$

d) $f''(x) = 0$ si $x < 0$

e) $f(0) = f(6) = 0$

SOLUTION

Avant de tracer le graphique, dressons le tableau complet d'une f.

Valeurs de x	$]-\infty, 0[$	0	$]0, 3[$	3	$]3, 6[$	6	$]6, +\infty[$
Signe de f'	−	∄	+	0	−	ò	−
Signe de f''	0	∄	−	−	−	ò	+
Croissance et concavité de f	↘	min	↗	max	↘	P.I.	↘
Valeur ou limite de f		0				0	

RÉPONSE: Figure 73.

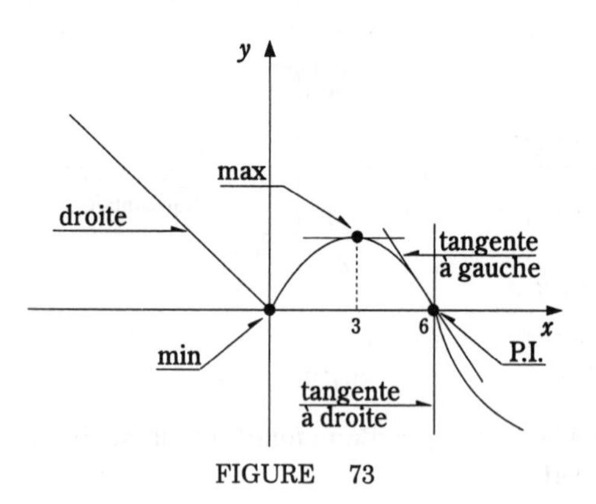

FIGURE 73

4 PROBLÈMES D'OPTIMISATION

MÉTHODE DE RÉSOLUTION DES PROBLÈMES D'OPTIMISATION:

- 1⁰ Déterminer les variables et établir les équations qui lient les variables. Tracer une figure s'il le faut.
- 2⁰ Définir mathématiquement la fonction à optimiser et donner son domaine.
- 3⁰ Déterminer la valeur de la variable qui optimise la fonction, c'est-à-dire trouver l'extremum de cette fonction.
- 4⁰ Interpréter les résultats et donner la réponse.

Exercices

73. Trouver l'aire maximale d'un rectangle de périmètre de 32 cm.

SOLUTION

1⁰ Soit x la mesure d'un côté du rectangle et y la mesure de l'autre côté.

Le périmètre du rectangle est de 32 cm, on a donc:

$2x + 2y = 32$

d'où $y = 16 - x$

2⁰ Il faut maximiser l'aire du rectangle $A = xy$. Donc, la fonction à optimiser est

$A(x) = x \times (16 - x)$

dont le domaine est] 0, 16 [(x et $y = 16 - x$ sont les mesures des côtés; donc, ce sont des nombres réels positifs).

3⁰ Recherche des extremums

a) $A'(x) = (16x - x^2)' = 16 - 2x = 2(8 - x)$

b) $\text{Dom } A' = \text{Dom } A =]\,0, 16\,[$

c) $A'(x) = 0$ pour $x = 8$

d) $A''(x) = -2$

La fonction A admet un maximum en $x = 8$ parce que $A''(8) = -2 < 0$ (test de la dérivée seconde).

4⁰ Pour $x = 8$ et $y = 16 - 8 = 8$ l'aire du rectangle de périmètre de 32 cm est maximale.

On a $A(8) = 8 \times (16 - 8) = 64 \text{ cm}^2$.

RÉPONSE: $A = 64 \text{ cm}^2$.

74. Dans un demi–cercle de rayon *r*, on inscrit un trapèze d'aire maximale. Trouver l'angle entre un côté et la grande base du trapèze.

SOLUTION

1⁰ Soit x la petite base du trapèze (figure 74).

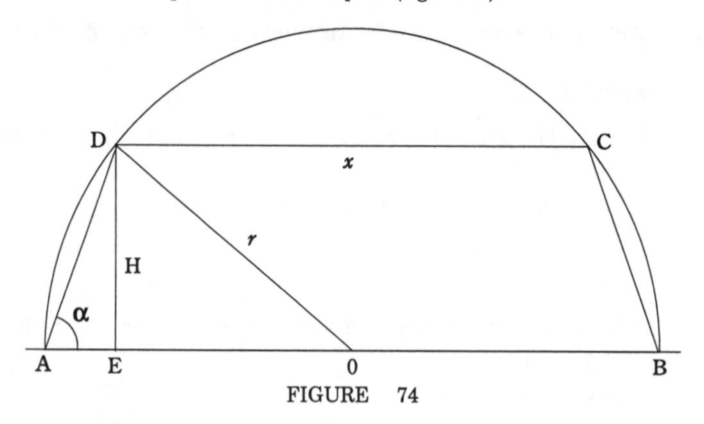

FIGURE 74

Donc,

$$m\,\overline{EO} = \frac{x}{2} \text{ et } H = \sqrt{r^2 - (\frac{x}{2})^2}$$

La grande base du trapèze est AB. On a

$m\,\overline{AB} = 2r$

2° Il faut maximiser l'aire du trapèze $A = \dfrac{B+b}{2} \times H$

Donc, la fonction à optimiser est

$$A\,(x) = \frac{2r+x}{2} \times \sqrt{r^2 - \left(\frac{x}{2}\right)^2} = \frac{2r+x}{4}\sqrt{4r^2 - x^2}$$

$\text{Dom}\,A = \{\, x \in R \mid x > 0, x < 2r \text{ et } 4\,r^2 - x^2 \geq 0\} = \,]\,0, 2r\,[$
($x > 0$, puisqu'il est la mesure d'un segment. De plus, le trapèze est inscrit dans un demi–cercle).

3° *a*) $A'(x) = \left(\dfrac{2r+x}{4}\sqrt{4r^2 - x^2}\right)'$

$$= \frac{1}{4}\sqrt{4r^2 - x^2} + \frac{2r+x}{4}\,\frac{1}{2\sqrt{4r^2 - x^2}}\,(-2x)$$

$$= \frac{4r^2 - 2rx - 2x^2}{4\sqrt{4r^2 - x^2}} = \frac{(r-x)\,(x+2r)}{4\sqrt{4r^2 - x^2}}$$

b) $\text{Dom}\,A' = \text{Dom}\,A = \,]\,0, 2\,r\,[$

c) $A'(x) = 0$ pour $x = r$ et pour $x = -2\,r$
Seule la valeur critique $x = r$ appartient au domaine.

d) Vérifions l'existence de l'extremum par l'étude de signe de A' (le test de la dérivée seconde est plus compliqué). Établissons le tableau de signes de A' et de croissance de A.

Valeurs de x	$]\,0, r\,[$	r	$]\,r, 2\,r\,[$
Signe de $(r-x)$	+	0	–
Signe de $(x+2r)$	+	+	+
Signe de A'	+	0	–
Croissance de A	↗	max	↘

4° Le trapèze d'aire maximale est le trapèze de petite base $x = r$ (figure 75).

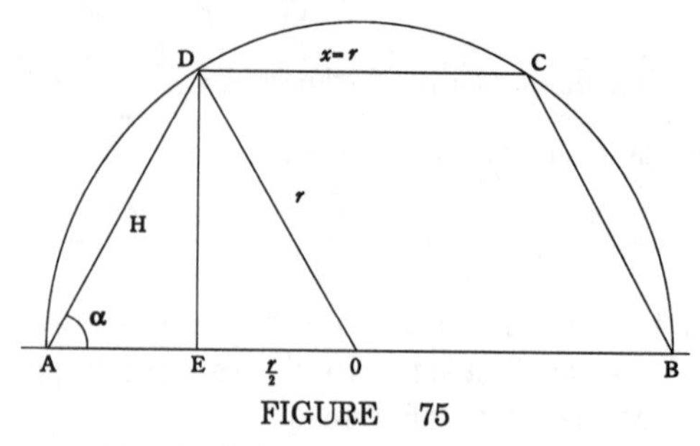

FIGURE 75

Pour trouver l'angle, étudions le triangle AOD.

On a m $\overline{DO}$ = m $\overline{AO}$ = r.

La hauteur DE partage la base du triangle AOD en deux parties égales

$$\text{m}\,\overline{AE} = \text{m}\,\overline{EO} = \frac{r}{2}$$

Donc, m $\overline{AD}$ = m $\overline{OD}$ = r.

Le triangle AOD est un triangle équilatéral. Donc, $\alpha = 60^o$.

RÉPONSE: L'angle entre un côté et la grande base du trapèze est de 60°.

75. Trouver le point P de la parabole $y = x^2$, qui est le plus près du point A (3, 0).

SOLUTION

1° Soit (x, y) les coordonnées du point P cherché de la parabole $y = x^2$ (figure 76).

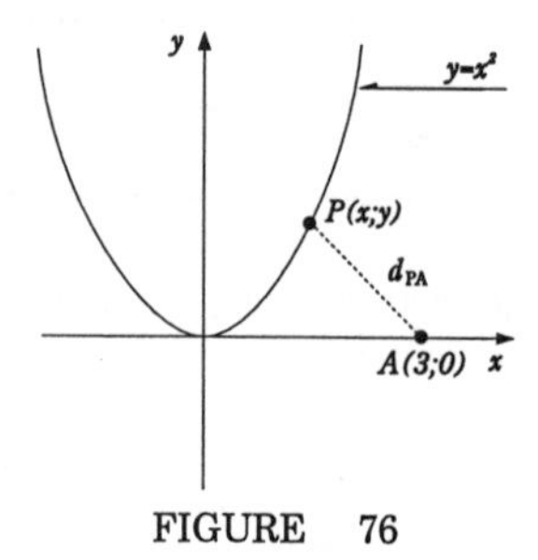

FIGURE 76

2° Il faut minimiser la distance

$d_{PA} = \sqrt{(x-3)^2 + (y-0)^2}$

entre les points $P(x,y)$ et $A(3,0)$.

Donc, la fonction à optimiser est

$d(x) = \sqrt{(x-3)^2 + (x^2-0)^2}$

Son domaine est R.

3° *a)* $d'(x) = \dfrac{1}{2\sqrt{(x-3)^2 + x^4}}(2(x-3) + 4x^3)$

$= \dfrac{(x-1)(2x^2+2x+3)}{\sqrt{(x-3)^2 + x^4}}$

b) Dom d' = Dom $d = R$.

c) $d'(x) = 0$ pour $x = 1$.

Valeurs de x	$]-\infty, 1[$	1	$]1, +\infty[$
Signe de $(x-1)$	–	0	+
Signe de $(2x^2 + 2x + 3)$	+	+	+
Signe de $\sqrt{(x-3)^2 + x^4}$	+	+	+
Signe de d'	–	0	+
Croissance de d	↘	min	↗

4° La distance d admet un minimum en $x = 1$. Donc, le point $P(1,1)$ de la parabole $y = x^2$ est le plus près de $A(3,0)$.

RÉPONSE : $P(1,1)$.

CHAPITRE

Dérivée des fonctions transcendantes

Vous devez savoir:

- déterminer la fonction dérivée des fonctions exponentielles et logarithmiques;
- déterminer la fonction dérivée des fonctions trigonométriques et trigonométriques réciproques;
- faire l'étude complète d'une fonction composée des fonctions exponentielles, logarithmiques ou trigonométriques et tracer son graphique.

1 – Dérivée des fonctions exponentielles et logarithmiques

2 – Dérivée des fonctions trigonométriques

3 – Dérivée des fonctions trigonométriques réciproques

1 DÉRIVÉE DES FONCTIONS EXPONENTIELLES ET LOGARITHMIQUES

- **FORMULES DE DÉRIVATION (suite)**

8. $(a^x)' = a^x \ln a$

   $(e^x)' = e^x$

9. $(\log_a x)' = \dfrac{1}{x \ln a}$

   $(\ln x)' = \dfrac{1}{x}$

10. $(a^{g(x)})' = a^{g(x)} \ln a \times g'(x)$

    $(e^{g(x)})' = e^{g(x)} \times g'(x)$

11. $(\log_a g(x))' = \dfrac{1}{g(x) \ln a} g'(x)$

    $(\ln g(x))' = \dfrac{1}{g(x)} g'(x)$

Exercices

76. Déterminer la fonction dérivée de chaque fonction *f* définie par

a) $f(x) = \log x^2$

b) $f(x) = 10^{(x^2+2)^3}$

c) $f(x) = e^{\sqrt{x}}(\sqrt{x} - 1)$

d) $f(x) = (\log x)^2$

e) $f(x) = \ln \dfrac{\sqrt{x^2+1} - 1}{\sqrt{x^2+1} + 1}$

Indiquer la formule de dérivation utilisée à chaque étape.

SOLUTIONS

a) $f(x) = \log x^2$

$f'(x) = (\log x^2)'$

$= \dfrac{1}{x^2 \ln 10} \times (x^2)'$ formule 11

$= \dfrac{1}{x^2 \ln 10} \times 2x$ formule 2

$= \dfrac{2}{x \ln 10}$

b) $f(x) = 10^{(x^2+2)^3}$

$f'(x) = [\, 10^{(x^2+2)^3} \,]'$

$= 10^{(x^2+2)^3} \ln 10 \times [(x^2 + 2)^3]'$ formule 10

$= 10^{(x^2+2)^3} \ln 10 \times 3(x^2 + 2)^2 \, (x^2 + 2)'$
formule 7

$= 10^{(x^2+2)^3} \ln 10 \times 3(x^2 + 2)^2 \, (2x + 0)$
formules 3 et 2

$= 6x(x^2 + 2)^2 \; 10^{(x^2+2)^3} \ln 10$

c) $f(x) = e^{\sqrt{x}} (\sqrt{x} + 1).$

$f'(x) = [\, e^{\sqrt{x}} (\sqrt{x} + 1)]'$

$= (e^{\sqrt{x}})' (\sqrt{x} + 1) + e^{\sqrt{x}} (\sqrt{x} + 1)'$ formule 5

$= e^{\sqrt{x}} (\sqrt{x})' (\sqrt{x} + 1) + e^{\sqrt{x}} (\sqrt{x} + 1)'$
formule 10

$= e^{\sqrt{x}} \dfrac{1}{2\sqrt{x}} (\sqrt{x} + 1) + e^{\sqrt{x}} \left(\dfrac{1}{2\sqrt{x}} + 0\right)$
formules 2 et 3

$= \dfrac{e^{\sqrt{x}} (\sqrt{x} + 2)}{2\sqrt{x}}$

d) $f(x) = (\log x)^2$

$f'(x) = [(\log x)^2]'$

$$= 2 \log x \times (\log x)' \qquad \textbf{formule 7}$$

$$= 2 \log x \times \frac{1}{x \ln 10} \qquad \textbf{formule 9}$$

$$= \frac{2 \log x}{x \ln 10}$$

e) $f(x) = \ln \dfrac{\sqrt{x^2+1} - 1}{\sqrt{x^2+1} + 1}$

$$= \ln (\sqrt{x^2+1} - 1) - \ln (\sqrt{x^2+1} + 1)$$

Donc,

$$f'(x) = [\ln (\sqrt{x^2+1} - 1) - \ln (\sqrt{x^2+1} + 1)]'$$

$$= [\ln (\sqrt{x^2+1} - 1)]' - [\ln (\sqrt{x^2+1} + 1)]'$$

formule 3

$$= \frac{1}{\sqrt{x^2+1} - 1} (\sqrt{x^2+1} - 1)' - \frac{1}{\sqrt{x^2+1} + 1} (\sqrt{x^2+1} + 1)' \qquad \textbf{formule 11}$$

$$= \frac{1}{\sqrt{x^2+1} - 1} [\frac{1}{2\sqrt{x^2+1}} (x^2+1)' - 0] - \frac{1}{\sqrt{x^2+1} + 1} [\frac{1}{2\sqrt{x^2+1}} (x^2+1)' + 0]$$

formules 3 et 7

$$= \frac{1}{\sqrt{x^2+1} - 1} \frac{1}{2\sqrt{x^2+1}} \times (2x + 0) - \frac{1}{\sqrt{x^2+1} + 1} \frac{1}{2\sqrt{x^2+1}} \times (2x + 0) \qquad \textbf{formules 3 et 2}$$

$$= \frac{2}{x\sqrt{x^2+1}}$$

RÉPONSES

a) $f'(x) = \dfrac{2}{x \ln 10}$

b) $f'(x) = 6x(x^2 + 2)^2 \; 10^{(x^2+2)^3} \ln 10$

c) $f'(x) = \dfrac{e^{\sqrt{x}}(\sqrt{x} + 2)}{2\sqrt{x}}$

d) $f'(x) = \dfrac{2 \log x}{x \ln 10}$

e) $f'(x) = \dfrac{2}{x\sqrt{x^2 + 1}}$

77. Dériver la fonction *f* définie par

$f(x) = (2x^2 + 1)^{3x}$

SOLUTION

Cette fonction n'est pas de la forme x^n ni de la forme a^x. On ne peut donc appliquer la formule de dérivation 2 ni la formule 8.

Prenons le logarithme naturel de la fonction. On obtient

$\ln f(x) = \ln (2x^2 + 1)^{3x} = 3x \ln (2x^2 + 1)$

Dérivons implicitement par rapport à x. On obtient

$$\frac{1}{f(x)} f'(x) = (3x)' \ln (2x^2 + 1) + 3x \,[\ln (2x^2 + 1)]'$$

$$= 3 \ln (2x^2 + 1) + 3x \frac{1}{2x^2 + 1} \times (2x^2 + 1)'$$

$$= 3 \ln (2x^2 + 1) + 3x \frac{1}{2x^2 + 1} \times 4x$$

D'où

$$f'(x) = (2x^2 + 1)^{3x} \left[3 \ln (2x^2 + 1) + \frac{12x^2}{2x^2 + 1}\right]$$

RÉPONSE

$$f'(x) = (2x^2 + 1)^{3x} \left[3 \ln (2x^2 + 1) + \frac{12x^2}{2x^2+1}\right]$$

78. Soit la fonction *f* définie par

$$f(x) = \ln \left(e + \frac{1}{x}\right).$$

a) Trouver le domaine de *f*.

b) Déterminer les asymptotes.

c) En quel point du graphique de la fonction *f* la tangente est-elle perpendiculaire à la droite $y = \frac{1}{e}x$?

d) Montrer que *f* n'admet aucun point d'inflexion.

SOLUTION

a) $\text{Dom} f = \{x \in R \mid e + \frac{1}{x} > 0\} =]-\infty, -\frac{1}{e}[\cup]0, +\infty[$

b) Les droites $x = -\frac{1}{e}$ et $x = 0$ sont les asymptotes verticales parce que

$$\lim_{x \to -\frac{1}{e}^-} \ln \left(e + \frac{1}{x}\right) = \ln 0^+ = -\infty$$

et que

$$\lim_{x \to 0^+} \ln \left(e + \frac{1}{x}\right) = +\infty$$

On ne peut pas évaluer les limites $\lim_{x \to -1/e} f(x)$ et $\lim_{x \to 0^-} f(x)$ parce que *f* n'est pas définie dans l'intervalle $[-\frac{1}{e}, 0]$.

La droite $y = 1$ est l'asymptote horizontale parce que

$$\lim_{x \to \pm\infty} \ln\left(e + \frac{1}{x}\right) = \ln(e+0) = 1$$

c) La tangente est perpendiculaire à la droite de pente $m = \dfrac{1}{e}$, donc

la pente de cette tangente est $m_t = -\dfrac{1}{1/e} = -e$.

La pente de la tangente est $m_t = f'(x)$. On cherche donc x tel que $f'(x) = -e$.

On a

$$f'(x) = \left[\ \ln\left(e + \frac{1}{x}\right)\ \right]' = \frac{1}{e + 1/x} \times \left(e + \frac{1}{x}\right)'$$

$$= \frac{x}{ex+1}\left(-\frac{1}{x^2}\right) = \frac{-1}{(ex+1)\,x}$$

et $\text{Dom}\, f' = \{x \in \text{Dom}\, f \mid (ex+1)\,x \neq 0\} = \text{Dom}\, f$.

L'équation $\dfrac{-1}{(ex+1)\,x} = -e$

est équivalente à $e^2x + ex - 1 = 0$

dont les zéros sont $x_1 = \dfrac{-1-\sqrt{5}}{2e}$ et $x_2 = \dfrac{-1+\sqrt{5}}{2e}$

Ces deux zéros appartient au domaine de la fonction dérivée,

$x_1 \in \left]-\infty, -\dfrac{1}{e}\right[$ et $x_2 \in \left]0, +\infty\right[$;

Il faut rejeter les zéros qui n'appartiennent pas au domaine de la fonction dérivée.

d) $f''(x) = \left(\dfrac{-1}{(ex+1)\,x}\right)' = \left[-1\,(ex^2 + x)^{-1}\right]'$

$$= (ex^2 + x)^{-2} \times (ex^2 + x)'$$

$$= \frac{1}{(ex^2 + x)^2}(2ex + 1)$$

et $\text{Dom} f'' = \{ x \in \text{Dom} f' \mid (ex^2 + x)^2 \neq 0 \} = \text{Dom} f$

Il n'y a pas de valeurs critiques de second ordre, parce que la dérivée seconde ne s'annule pas ($x = -\frac{1}{2e} \notin \text{Dom} f''$). Donc, f n'admet aucun point d'inflexion.

RÉPONSES

a) $\text{Dom} f =]-\infty, -\frac{1}{e}[\cup]0, +\infty[$

b) Les asymptotes verticales sont $x = -\frac{1}{e}$ et $x = 0$

L'asymptote horizontale est $y = 1$

c) $P_1 \left(\frac{-1-\sqrt{5}}{2e}, f\left(\frac{-1-\sqrt{5}}{2e}\right)\right)$, $P_2 \left(\frac{-1+\sqrt{5}}{2e}, f\left(\frac{-1+\sqrt{5}}{2e}\right)\right)$

d) Il n'y a pas de valeurs critiques de second ordre, alors la fonction n'admet aucun point d'inflexion.

2 DÉRIVÉE DES FONCTIONS TRIGONOMÉTRIQUES

- **FORMULES (suite)**

12. $(\sin x)' = \cos x$

$(\cos x)' = -\sin x$

$(\tan x)' = \dfrac{1}{\cos^2 x} = \sec^2 x$

13. $(\sin g(x))' = \cos g(x) \times g'(x)$

$(\cos g(x))' = -\sin g(x) \times g'(x)$

$(\tan g(x))' = \sec 2\, g(x) \times g'(x)$

Exercices

79. Trouver la fonction dérivée de la fonction cotangente à l'aide

a) de la définition de la fonction dérivée

b) des formules de dérivation appropriées.

SOLUTION ET RÉPONSES

a) D'après la définition,

$$f'(x) = \lim_{\Delta x \to 0} \frac{f(x + \Delta x) - f(x)}{\Delta x}$$

$$= \lim_{\Delta x \to 0} \frac{\cot(x + \Delta x) - \cot x}{\Delta x}$$

$$= \lim_{\Delta x \to 0} \frac{\dfrac{\cos(x + \Delta x)}{\sin(x + \Delta x)} - \dfrac{\cos x}{\sin x}}{\Delta x}$$

$$= \lim_{\Delta x \to 0} \frac{\sin x \cos(x + \Delta x) - \cos x \sin(x + \Delta x)}{\sin(x + \Delta x) \sin x \, \Delta x}$$

$$= \lim_{\Delta x \to 0} \frac{\sin(x - (x + \Delta x))}{\sin(x + \Delta x)\sin x} \frac{1}{\Delta x}$$

$$= \lim_{\Delta x \to 0} \frac{\sin(-\Delta x)}{\sin(x + \Delta x)\sin x} \frac{1}{\Delta x}$$

$$= \lim_{\Delta x \to 0} \frac{-\sin \Delta x}{\Delta x} \frac{1}{\sin(x + \Delta x)\sin x}$$

Évaluons $\lim\limits_{\Delta x \to 0} \dfrac{\sin \Delta x}{\Delta x}$ à l'aide des tableaux de valeurs ci–dessous

Δx	$\dfrac{\sin \Delta x}{\Delta x}$
0,1	0,998 3
0,01	0,999 98
0,001	0,999 999 8
⇓	⇓
0^+	1

Δx	$\dfrac{\sin \Delta x}{\Delta x}$
–0,1	0,998 3
–0,01	0,999 98
–0,001	0,999 999 8
⇓	⇓
0^-	1

Donc, $f'(x) = -1 \times \dfrac{1}{\sin^2 x} = -\csc^2 x$

Dans les calcul des limites des fonctions trigonométriques, on utilise souvent le résultat

$$\lim_{x \to 0} \frac{\sin x}{x} = 1$$

b) $f'(x) = (\cot x)' = \left(\dfrac{\cos x}{\sin x}\right)'$

$$= \frac{(\cos x)' \sin x - \cos x\,(\sin x)'}{\sin^2 x}$$

$$= \frac{-\sin x \sin x - \cos x \cos x}{\sin^2 x}$$

$$= \frac{-1\,(\sin^2 x + \cos^2 x)}{\sin^2 x}$$

$$= \frac{-1}{\sin^2 x} = -\csc^2 x$$

80. Trouver les formules de dérivation pour les fonctions composées définies par

a) $f(x) = \sec g(x)$

b) $f(x) = \csc g(x)$

c) $f(x) = \cot g(x)$

SOLUTION

a) $f(x) = \sec g(x)$

Par définition

$$\sec g(x) = \frac{1}{\cos g(x)}$$

Donc,

$$f'(x) = [(\cos g(x))^{-1}]' = -1[\cos g(x)]^{-2}(\cos g(x))'$$

$$= \frac{-1}{\cos^2 g(x)}(-\sin g(x)) \times g'(x)$$

$$= \frac{1}{\cos g(x)} \frac{\sin g(x)}{\cos g(x)} \times g'(x)$$

$$= \sec g(x) \tan g(x) \times g'(x)$$

b) $f(x) = \csc g(x)$

Par définition

$$\csc g(x) = \frac{1}{\sin g(x)}$$

Donc,

$$f'(x) = [(\sin g(x))^{-1}]' = -1\,(\sin g(x))^{-2} \times (\sin g(x))'$$

$$= \frac{-1}{\sin^2 g(x)} \cos g(x) \times g'(x)$$

$$= -\frac{1}{\sin g(x)} \frac{\cos g(x)}{\sin g(x)} \times g'(x)$$

$$= -\csc g(x) \cot g(x) \times g'(x);$$

c) $f(x) = \cot g(x)$.

Par définition

$$\cot g(x) = \frac{\cos g(x)}{\sin g(x)}$$

Donc,

$$f'(x) = \left(\frac{\cos g(x)}{\sin g(x)}\right)'$$

$$= \frac{(\cos g(x))' \sin g(x) - \cos g(x) (\sin g(x))'}{\sin^2 g(x)}$$

$$= \frac{-\sin g(x) g'(x) \sin g(x) - \cos g(x) \cos g(x) g'(x)}{\sin^2 g(x)}$$

$$= \frac{-g'(x) [\sin^2 g(x) + \cos^2 g(x)]}{\sin^2 g(x)}$$

$$= \frac{-1}{\sin^2 g(x)} \times g'(x)$$

$$= -\csc^2 g(x) \times g'(x)$$

RÉPONSES

a) $f'(x) = \sec g(x) \tan g(x) \times g'(x)$

b) $f'(x) = -\text{cst}\, g(x) \cot g(x) \times g'(x)$

c) $f'(x) = -\csc^2 g(x) \times g'(x)$

• RÉSUMÉ DES DÉRIVÉES DE FONCTIONS TRIGONOMÉTRIQUES

Fonction	Dérivée	Fonction	Dérivée
$\sin x$	$\cos x$	$\sin g(x)$	$\cos g(x) \times g'(x)$
$\cos x$	$-\sin x$	$\cos g(x)$	$-\sin g(x) \times g'(x)$
$\tan x$	$\sec^2 x$	$\tan g(x)$	$\sec^2 g(x) \times g'(x)$
$\cot x$	$-\csc^2 x$	$\cot g(x)$	$-\csc^2 g(x) \times g'(x)$
$\sec x$	$\sec x \tan x$	$\sec g(x)$	$\sec g(x) \tan g(x) \times g'(x)$
$\csc x$	$-\csc x \cot x$	$\csc g(x)$	$-\csc g(x) \cot g(x) \times g'(x)$

1. Le coefficient +1 correspond aux dérivées des fonctions; le coefficient –1, aux dérivées des cofonctions.
2. La dérivée de chaque cofonction est semblable à celle de la fonction correspondante.
   Par exemple
   $(\tan x)' = \sec^2 x$ et $(\text{co–tan } x)' = -\text{co–sec}^2 x$.

81. Déterminer la fonction dérivée de chaque fonction définie ci–dessous et trouver sa valeur au point $x = 0$.

a) $f(x) = \sqrt{\sin 2x + 1}$

b) $f(x) = \sin\sqrt{2x + 1}$

c) $f(x) = \begin{cases} \sin x & \text{si} \quad x < 0 \\ \cos x - 1 & \text{si} \quad x \geq 0 \end{cases}$

SOLUTION

Appliquons les règles de dérivation appropriées. On obtient

a) $f(x) = \sqrt{\sin 2x + 1}$.

$$f'(x) = (\sqrt{\sin 2x + 1})'$$

$$= \frac{1}{2\sqrt{\sin 2x + 1}} \times (\sin 2x + 1)'$$

$$= \frac{1}{2\sqrt{\sin 2x + 1}}[\cos 2x \times (2x)' + 0]$$

$$= \frac{1}{2\sqrt{\sin 2x + 1}}\cos 2x \times 2$$

$$= \frac{\cos 2x}{\sqrt{\sin 2x + 1}}$$

$$f'(0) = \frac{\cos 0}{\sqrt{\sin 0 + 1}} = 1$$

b) $f(x) = \sin \sqrt{2x+1}$

$$f'(x) = (\sin \sqrt{2x+1})'$$

$$= \cos \sqrt{2x+1} \times (\sqrt{2x+1})'$$

$$= \cos \sqrt{2x+1}\ \frac{1}{2\sqrt{2x+1}} \times (2x+1)'$$

$$= \cos \sqrt{2x+1}\ \frac{1}{2\sqrt{2x+1}} \times 2$$

$$= \frac{\cos \sqrt{2x+1}}{\sqrt{2x+1}}$$

$$f'(0) = \frac{\cos \sqrt{0+1}}{\sqrt{0+1}} = \cos 1$$

c) $f(x) = \begin{cases} \sin x & \text{si} \quad x < 0 \\ \cos x - 1 & \text{si} \quad x \geq 0 \end{cases}$

Si $x > 0$, alors

$$f'(x) = (\sin x)' = \cos x$$

Si $x < 0$, alors

$$f'(x) = (\cos x - 1)' = -\sin x$$

Pour trouver $f'(0)$ ($x = 0$ est le point de jonction) on applique la définition de la dérivée.

$$f'(0) = \lim_{x \to 0} \frac{f(x) - f(0)}{x - 0}$$

On a

$$\lim_{x \to 0^-} \frac{f(x) - f(0)}{x} = \lim_{x \to 0^-} \frac{\sin x - 0}{x} = \lim_{x \to 0^-} \frac{\sin x}{x} = 1$$

et

$$\lim_{x \to 0^+} \frac{f(x) - f(0)}{x - 0} = \lim_{x \to 0^+} \frac{\cos x - 1 - 0}{x}$$

$$= \lim_{x \to 0^+} \frac{\cos\ x - 1}{x} \qquad \text{forme indéterminée } [\tfrac{0}{0}]$$

$$= \lim_{x \to 0^+} \frac{\cos\ x - 1}{x} \times \frac{\cos\ x + 1}{\cos\ x + 1}$$

$$= \lim_{x \to 0^+} \frac{\cos^2\ x - 1}{x(\cos\ x + 1)}$$

$$= \lim_{x \to 0^+} \frac{-\sin^2\ x}{x(\cos\ x + 1)}$$

$$= \lim_{x \to 0^+} \frac{-\sin\ x}{x} \frac{\sin\ x}{\cos\ x + 1} = -1 \times \frac{0}{1+1} = 0$$

La dérivée en $x = 0$ n'existe pas parce que la limite à gauche est différente de celle à droite.

RÉPONSES

a) $f'(x) = \dfrac{\cos 2x}{\sqrt{\sin 2x + 1}}$

$f'(0) = 1$

b) $f'(x) = \dfrac{\cos \sqrt{2x+1}}{\sqrt{2x+1}}$.

$f'(0) = \cos 1$

c) $f'(x) = \begin{cases} \cos x & \text{si} \quad x < 0 \\ -\sin x & \text{si} \quad x > 0 \end{cases}$

$f'(0)$ n'existe pas.

82. Trouver les erreurs commises dans les démarches présentées ci–dessous.

a) $\left(\dfrac{\tan x^4}{x^3}\right)' = (\tan x)' = \sec^2 x$

b) $\left(\dfrac{\tan x^4}{x^3}\right)' = \dfrac{(\tan x^4)'}{(x^3)'}$

$$= \frac{\sec^2 x^4 \times (x^4)'}{3x^2} = \frac{\sec^2 x^4 \times 4x^3}{3x^2} = \frac{\sec^2 4x^7}{3x^2}$$

c) $\left(\dfrac{\tan x^4}{x^3}\right)' = \dfrac{(\tan x^4)' x^3 - \tan x^4 (x^3)'}{x^6}$

$$= \frac{4\tan x^3 \times x^3 - \tan x^4 \times 3x^2}{x^6}$$

$$= \frac{x^2 (4x \tan x^3 - 3 \tan x^4)}{x^6}$$

$$= \frac{4x \tan x^3 - 3 \tan x^4}{x^4}$$

d) $\left(\dfrac{\tan x^4}{x^3}\right)' = \dfrac{(\tan x^4)' x^3 - \tan x^4 (x^3)'}{x^6}$

$$= \frac{\sec^2 x^4 \times (x^4)' \times x^3 - \tan x^4 \times 3x^2}{x^6}$$

$$= \frac{\sec^2 x^4 \times 4x^3 \times x^3 - \tan x^4 \times 3x^2}{x^6}$$

$$= \frac{x^2 \ (4x^4 \sec^2 x^4 - 3 \tan x^4)}{x^6}$$

$$= \frac{4x^4 \sec^2 x^4 - 3 \tan x^4}{x^4}$$

SOLUTION ET RÉPONSES

a) Simplification interdite. En effet,

$$\frac{\tan x^4}{x^3} \neq \frac{\tan x}{1}$$

b) 1re erreur: mauvaise formule. En effet,

$$\left(\frac{\tan x^4}{x^3}\right)' \neq \frac{(\tan x^4)'}{(x^3)'}$$

2e erreur: multiplication interdite. En effet,
$\sec^2 x^4 \times 4x^3 \neq \sec^2 4x^7$.

c) Mauvaise formule. En effet, $(\tan x^4)' \neq 4 \tan x^3$

d) Aucune erreur.

83. En se servant de la dérivée, démontrer que
$1 + \cot^2 x = \csc^2 x$.

SOLUTION ET RÉPONSE

Considérons la fonction

$f(x) = 1 + \cot^2 x - \csc^2 x$

Sa dérivée est

$$\begin{aligned} f'(x) &= 0 + (\cot^2 x)' - (\csc^2 x)' \\ &= 2 \cot x \times [- \csc^2 x] - 2 \csc x \times [- \csc x \cot x] \\ &= -2 \cot x \csc^2 x + 2 \csc^2 x \cot x = 0. \end{aligned}$$

La fonction f est constante, puisque la dérivée f' est nulle dans tout son domaine. Pour $x = \frac{\pi}{2}$, on a

$$f\left(\frac{\pi}{2}\right) = 1 + \cot^2 \frac{\pi}{2} - \csc^2 \frac{\pi}{2} = 1 + 0 - 1 = 0$$

Donc, $f(x) = 1 + \cot^2 x - \csc^2 x = 0$
d'où $1 + \cot^2 x = \csc^2 x$

84. Étudier la croissance et déterminer les extremums de la fonction définie par

$f(x) = \sec x$

SOLUTION

Par définition,

$$f(x) = \sec x = \frac{1}{\cos x}$$

Appliquons la méthode de l'exercice 62.

1° $\text{Dom} f = \{x \in R \mid \cos x \neq 0\} = R \setminus \{x \in R \mid \cos x = 0\}$

$$= R \setminus \{x \in R \mid x = \frac{\pi}{2} + k\pi \text{ et } k \in Z\}$$

La fonction sécante est périodique (la fonction cosinus est périodique) de période 2π; il suffit donc d'en faire l'étude sur l'intervalle $[-\pi, \pi] \cap \text{Dom} f$.

2° *A*) $f'(x) = (\sec x)' = \sec x \operatorname{tg} x$

B) $\text{Dom} f' = \{x \in \text{Dom} f \mid \cos x \neq 0\} = \text{Dom} f$

C) Les valeurs critiques sont $x = -\pi$, $x = 0$ et $x = \pi$ (la dérivée s'annule).

$$f'(x) < 0 \quad \text{si} \quad x \in \left]-\pi, -\frac{\pi}{2}\right[\cup \left]-\frac{\pi}{2}, 0\right[$$

$$f'(x) > 0 \quad \text{si} \quad x \in \left]0, \frac{\pi}{2}\right[\cup \left]\frac{\pi}{2}, \pi\right[$$

3° Établissons le tableau de croissance de *f*.

Valeur de x	...	$-\pi$	$]-\pi, -\frac{\pi}{2}[$	$]-\frac{\pi}{2}, 0[$	0	$]0, \frac{\pi}{2}[$	$]\frac{\pi}{2}$, p[	π	..
Signe de f'		0	–	–	0	+	+	0	
Croissance de f		max	↘	↘	min	↗	↗	max	

REMARQUE

Dans chaque intervalle $[-\pi + 2k\pi, \pi + 2k\pi] \cap \text{Dom} f$, le comportement de la fonction *f* est identique parce que la fonction *f* est périodique de période 2π.

RÉPONSES

La fonction f est croissante dans les intervalles

$]\, 2k\pi, \frac{\pi}{2} + 2k\pi\, [$ et $]\, \frac{\pi}{2} + 2k\pi\,, \pi + 2k\pi\, [$, et décroissante

dans les intervalles $]\, -\pi + 2k\pi, -\frac{\pi}{2} + 2k\pi\, [$ et $]\, -\frac{\pi}{2} + 2k\pi,$
$2k\pi\, [$. Elle admet les maximums relatifs en $x = \pi + 2k\pi$,
et les minimums rélatifs en $x = 2k\pi$.

3

DÉRIVÉE DES FONCTIONS TRIGONOMÉTRIQUES RÉCIPROQUES

Exercices

85. Trouver la formule de dérivation de la fonction réciproque de la fonction cosécante.

SOLUTION

Pour déterminer la dérivée de la fonction réciproque f^{-1} d'une fonction f on se base sur l'équivalence

$y = f^{-1}(x) \Leftrightarrow x = f(y)$

Dans ce cas,

$y = \mathrm{Csc}^{-1}\, x \Leftrightarrow x = \mathrm{Csc}\, y$

La fonction cosécante n'est pas inversible parce qu'elle n'est pas injective dans son domaine. Il faut distinger la fonction cosécante de la fonction cosécante principale (Csc avec une majuscule) qui est la fonction cosécante confinée à l'intervalle $]-\pi, -\frac{\pi}{2}] \cup]0, \frac{\pi}{2}]$. Cette fonction est injective. Donc la fonction réciproque existe, on l'appele arccosécante.

Dérivons implicitement $x = \csc y$ par rapport à x. On obtient

$$\frac{d}{dx}(x) = \frac{d}{dx}(\csc y)$$

$$1 = -\csc y \cot y\, y'.$$

D'où $y' = \dfrac{-1}{\csc y \;\cot y}$

Exprimons ensuite la dérivée en fonction de x. Or, $x = \operatorname{Csc} y$. Donc, exprimons $\cot y$ en fonction de $\csc y$ à l'aide de l'identité

$$\csc^2 y = \cot^2 y + 1$$

On obtient $\cot y = \sqrt{\csc^2 y - 1}$

Donc, $$y' = \frac{-1}{\csc y \sqrt{\csc^2 y - 1}} = \frac{-1}{x\sqrt{x^2 - 1}}$$

Seul le signe positif devant le radical $\sqrt{\csc^2 y - 1}$ a été retenu parce que la fonction cotangente est positive dans l'intervalle $]-\pi, -\frac{\pi}{2}] \cup]0, \frac{\pi}{2}]$.

RÉPONSE: $(\operatorname{arccsc} x)' = \dfrac{-1}{x\sqrt{x^2 - 1}}$

RÉSUMÉ DES FONCTIONS TRIGONOMÉTRIQUES RÉCIPROQUES ET DE LEURS DÉRIVÉES

Fonction	Domaine	Image	Dérivée
$\arcsin x$	$[-1, 1]$	$[-\frac{\pi}{2}, \frac{\pi}{2}]$	$\frac{1}{\sqrt{1 - x^2}}$
$\arccos x$	$[-1, 1]$	$[0, \pi]$	$\frac{-1}{\sqrt{1 - x^2}}$
$\arctan x$	R	$]-\frac{\pi}{2}, \frac{\pi}{2}[$	$\frac{1}{1 + x^2}$
$\operatorname{arccot} x$	R	$]0, \pi[$	$\frac{-1}{1 + x^2}$
$\operatorname{arcsec} x$	$]-\infty, -1] \cup [1, +\infty[$	$[-\pi, -\frac{\pi}{2}[\cup [0, \frac{\pi}{2}[$	$\frac{1}{x\sqrt{x^2 - 1}}$
$\operatorname{arccsc} x$	$]-\infty, -1] \cup]-\pi, -\frac{\pi}{2}]$	$[1, +\infty[\cup]0, \frac{\pi}{2}]$	$\frac{-1}{x\sqrt{x^2 - 1}}$

86. Montrer que la tangente à la courbe d'équation

$$\arctan \frac{x}{x+y} = \frac{y}{x+y} + \frac{\pi}{4}$$

au point (1,0) est horizontale.

SOLUTION ET RÉPONSE

Pour trouver la pente de la tangente, dérivons implicitement l'équation de la courbe par rapport à x. On obtient

$$\frac{d}{dx}\left(\arctan \frac{x}{x+y}\right) = \frac{d}{dx}\left(\frac{y}{x+y} + \frac{\pi}{4}\right)$$

$$\frac{1}{1+\left(\frac{x}{x+y}\right)^2} \times \frac{d}{dx}\left(\frac{x}{x+y}\right) = \frac{d}{dx}\left(\frac{y}{x+y}\right) + 0$$

$$\frac{1}{1+\left(\frac{x}{x+y}\right)^2} \times \frac{1\,(x+y) - x\,(1+y')}{(x+y)^2} = \frac{y'\,(x+y) - y\,(1+y')}{(x+y)^2}$$

D'où $y' = \dfrac{y}{x}$

Pour $x = 1$ et $y = 0$ on obtient $y' = 0$. Donc, la tangente est horizontale.

87. Soit la fonction *f* définie par

$$f(x) = \arccos \frac{3}{x}$$

a) Trouver le domaine de *f*.

b) Déterminer les asymptotes.

c) Étudier la croissance et trouver les extremums.

d) Tracer le graphique de *f* d'après les renseignements obtenues en *a*, *b* et *c*.

SOLUTION ET RÉPONSES

a) Le domaine de la fonction arccosinus est l'intervalle [–1 , 1]. Donc,

$$\text{Dom } f = \{ x \in R \mid -1 \le \frac{3}{x} \le 1\} =]-\infty, -3] \cup [3, +\infty[.$$

b) La fonction f n'a aucune asymptote verticale ($x = -3$ et $x = 3$ appartiennent au Dom f).

La droite $y = \frac{\pi}{2}$ est l'asymptote horizontale, parce que

$$\lim_{x \to \pm\infty} \text{arcos } \frac{3}{x} = \text{arccos } 0 = \frac{\pi}{2}$$

Par définition arccos $x = y$ si et seulement si cos $y = x$. Donc, arccos $0 = \frac{\pi}{2}$ parce que cos $\frac{\pi}{2} = 0$.

c) Appliquons la méthode de l'exercice 62.

1° Dom $f =]-\infty, -3] \cup [3, +\infty[$.

2° *A*) $f'(x) = \left(\text{arccos } \frac{3}{x}\right)' = \frac{-1}{\sqrt{1-(3/x)^2}}\left(\frac{3}{x}\right)'$

$$= \frac{-1}{\sqrt{1 - 9/x^2}} \times \frac{-3}{x^2} = \frac{3}{|x|\sqrt{x^2-9}}$$

B) Dom $f' = \{ x \in \text{Dom } f \mid |x| \neq 0, x^2 - 9 \ge 0 \text{ et } x^2 - 9 \neq 0\}$

$=]-\infty, -3[\cup]3, +\infty[= \text{Dom } f \setminus \{\mathbf{-3}, \mathbf{3}\}$.

C) Les valeurs critiques sont $x = -3$ et $x = 3$ (la dérivée n'existe pas).

Il est évident que f' est positive dans son domaine.

3° Établissons le tableau de croissance de f.

Valeurs de x	$]-\infty, -3[$	-3	3	$]3, +\infty[$
Signe de f'	+	∄	∄	+
Croissance de f	↗	max	min	↗

Conclusion: La fonction f est croissante dans l'intervalle $]\infty-, -3[$ et $]-3, +\infty[$, elle admet un maximum en $x = -3$ (l'extrémité droite de l'intervalle dans lequel f est croissante et $f(-3)$ existe) et un minimum en $x = 3$ (l'extrémité gauche de l'intervalle dans lequel f est croissante et $f(3)$ existe).

d) Figure 77.

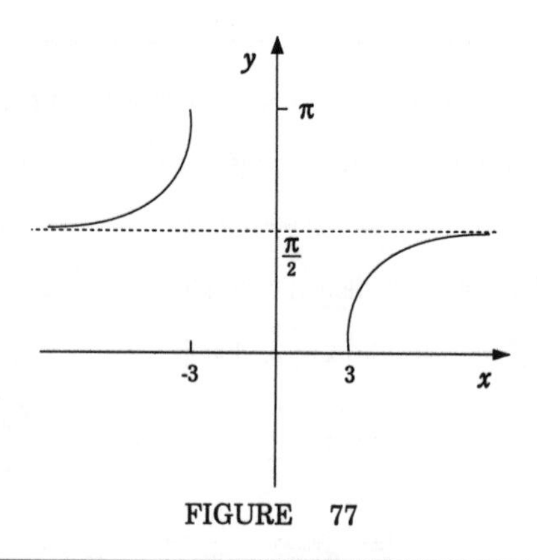

FIGURE 77

1. La dérivée de la fonction f n'existe pas en $x = \pm 3$ (le dominateur s'annule). Donc, les tangentes en ces deux points sont verticales.
2. On trace l'arc concave vers le haut pour l'intervalle $]-\infty, -3[$ et concave vers le bas pour l'intervalle $]3, +\infty[$, parce que la droite $y = \frac{\pi}{2}$ est l'asymptote horizontale de la fonction f.

88. Faire l'étude complète et tracer le graphique de la fonction f définie par

$$f(x) = \arcsin \frac{x^2 - 1}{x^2 + 1}$$

SOLUTION

Suivons le plan de l'exercice 70.

1° *A*) Le domaine de la fonction arcsinus est l'intervalle [–1 , +1]. Donc,

$$\text{Dom} f = \{x \in R \mid -1 \leq \frac{x^2 - 1}{x^2 + 1} \leq 1\} = R.$$

B) La droite $y = \frac{\pi}{2}$ est l'asymptote horizontale, parce que

$$\lim_{x \to \pm\infty} \arcsin \frac{x^2 - 1}{x^2 + 1} = \lim_{x \to \pm\infty} \arcsin \frac{1 - 1/x^2}{1 + 1/x^2} = \arcsin\ 1 = \frac{\pi}{2}$$

Par définition $\arcsin x = y$ si et seulement si $\sin y = x$, donc $\arcsin 1 = \frac{\pi}{2}$ parce que $\sin \frac{\pi}{2} = 1$.

C) La résolution de l'équation

$$\arcsin \frac{x^2 - 1}{x^2 + 1} = 0$$

donne les points d'intersection $P_1(1,0)$ et $P_2(-1,0)$ de la courbe de f avec l'axe Ox.

On a $f(0) = \arcsin(-1) = -\frac{\pi}{2}$ (parce que $\sin(-\frac{\pi}{2}) = -1$).

Donc, le point de rencontre de la courbe de f avec l'axe Oy est $P_3(0, -\frac{\pi}{2})$

2° *A*) $f'(x) = (\arcsin \dfrac{x^2-1}{x^2+1})'$

$$= \frac{1}{\sqrt{1-\left(\dfrac{x^2-1}{x^2+1}\right)^2}} \left(\frac{x^2-1}{x^2+1}\right)'$$

$$= \frac{1}{\sqrt{1-\left(\dfrac{x^2-1}{x^2+1}\right)^2}} \quad \frac{2x\,(x^2+1)-(x^2-1)\,2x}{(x^2+1)^2}$$

$$= \frac{2x}{|\,x\,|\,(x^2+1)}$$

B) $\mathrm{Dom}\, f' = \{\, x \in \mathrm{Dom}\, f \mid |x| \neq 0 \,\} = R \setminus \{\, 0 \,\}$

C) La seule valeur critique est $x = 0$ (la dérivée n'existe pas).

Il est évident que

$f'(x) > 0$ si $x > 0$ et que $f'(x) < 0$ si $x < 0$

3° *A*) La formule de la fonction dérivée comprend la valeur absolue. Donc, pour trouver la dérivée seconde écrivons la formule de $f'(x)$ sous la forme

$$f'(x) = \begin{cases} \dfrac{-2}{x^2+1} & \text{si} \quad x < 0 \\ \dfrac{2}{x^2+1} & \text{si} \quad x > 0 \end{cases}$$

Donc,

$$f''(x) = \begin{cases} \left(\dfrac{-2}{x^2+1}\right)' & \text{si} \quad x < 0 \\ \left(\dfrac{2}{x^2+1}\right)' & \text{si} \quad x > 0 \end{cases}$$

$$f''(x) = \begin{cases} \dfrac{4x}{(x^2+1)^2} & \text{si} \quad x < 0 \\ \dfrac{-4x}{(x^2+1)^2} & \text{si} \quad x > 0 \end{cases}$$

B) Dom $f'' =$ Dom $f' = R \setminus \{ 0 \}$

C) La seule valeur critique de second ordre est $x = 0$ (la dérivée seconde n'existe pas).

Il est évident que $f''(x) < 0$ si $x > 0$
et que $f''(x) < 0$ si $x > 0$;

4° Établissons le tableau complet de *f*.

Valeurs de x	$-\infty$	$]-\infty, 0[$	0	$]0, +\infty[$	$+\infty$
Signe de f'		$-$	$\nexists$	$+$	
Signe de f''		$-$	$\nexists$	$-$	
Croissance et concavité de f		↘	min	↗	
Valeur ou limite de f	$\frac{\pi}{2}$		$-\frac{\pi}{2}$		$\frac{\pi}{2}$

5° Voir le graphique de la fonction *f* représenté à la figure 78.

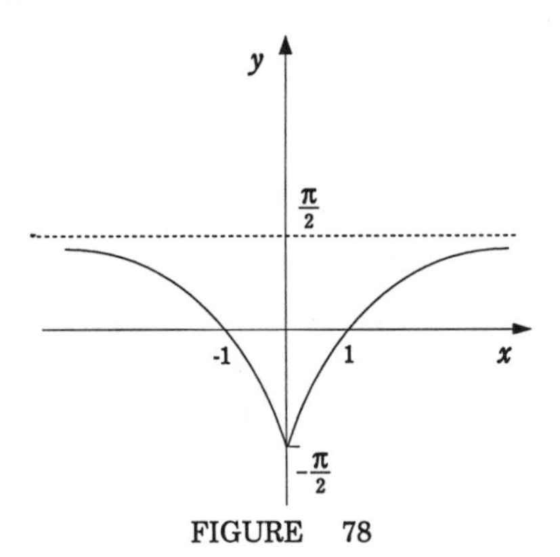

FIGURE 78

CHAPITRE

V

INTÉGRALE

Vous devez savoir:

- déterminer la différentielle d'une fonction;
- déterminer des intégrales indéfinies simples et certaines integrales indéfinies à l'aide d'un changement de variable;
- calculer des intégrales définies;
- calculer l'aire d'une région bornée par les graphiques de fonctions.

DIFFÉRENTIELLE

- **DÉFINITION DE LA DIFFÉRENTIELLE :** La différentielle d'une fonction f au point $(x, f(x))$ est la valeur de l'expression $f'(x)\,\Delta x$
où Δx est la variation de x.
La différentielle se note df ou $df(x)$.

Exercice

89. Trouver la valeur approximative de $\sqrt[5]{0{,}975}$.

SOLUTION

La différentielle d'une fonction f au point $(x\, f(x))$ est une approximation de la variation de Δy (figure 79).

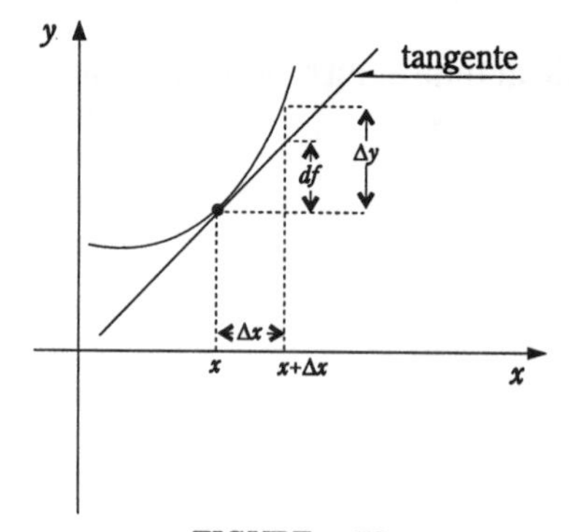

FIGURE 79

On a $df(x) \approx \Delta y = f(x + \Delta x) - f(x)$

D'où $f(x + \Delta x) \approx f(x) + f'(x)\,\Delta x$

Posons $f(x) = \sqrt[5]{x}$

On a donc, $f'(x) = (\sqrt[5]{x})' = (x^{1/5})' = \dfrac{1}{5}x^{-4/5}$

Alors $\sqrt[5]{x + \Delta x} \approx \sqrt[5]{x} + \dfrac{1}{5}x^{-4/5}\,\Delta x$

Donc, pour $x = 1$ et $\Delta x = -0{,}025$

$$\sqrt[5]{0{,}975} \approx \sqrt[5]{1} + \frac{1}{5} \times 1^{-4/5} \times (-0{,}025) = 0{,}995$$

RÉPONSE

$\sqrt[5]{0{,}975} \approx 0{,}995$

2 PRIMITIVE ET INTÉGRALE INDÉFINIE

- **DÉFINITION** : On appelle primitive d'une fonction f une fonction F dont la dérivée est f.
- **DÉFINITION :** L'intégrale indéfinie d'une fonction f est l'ensemble de toutes les primitives de f.
- Symboliquement: $\int f(x)\,dx = F(x) + C$ si et seulement si $F'(x) = f(x)$.
- **FORMULES D'INTÉGRATION :**

1. $\int k f(x)\,dx = k \int f(x)\,dx$ (k est une constante)
2. $\int (f(x) \pm g(x))\,dx = \int f(x)\,dx \pm \int g(x)\,dx$
3. $\int x^n\,dx = \dfrac{x^{n+1}}{n+1} + C \qquad (n \neq -1)$
4. $\int [f(x)]^n f'(x)\,dx = \dfrac{[f(x)]^{n+1}}{n+1} + C \qquad (n \neq -1)$
5. $\int \dfrac{dx}{x} = \ln|x| + C$
6. $\int \dfrac{f'(x)}{f(x)}\,dx = \ln|f(x)| + C$
7. $\int e^x\,dx = e^x + C$
8. $\int \cos x\,dx = \sin x + C$

   $\int \sin x\,dx = -\cos x + C$

   $\int \dfrac{1}{\cos^2 x}\,dx = \tan x + C$
9. $\int \dfrac{1}{1+x^2}\,dx = \arctan x + C$

   $\int \dfrac{1}{\sqrt{1-x^2}}\,dx = \arcsin x + C$

Exercices

90. Soit f et F deux fonctions définies respectivement par

$f(x) = 3x^2 + 4x + 3$ et

$F(x) = x^3 + 2x^2 + 3x$

Compléter les phrases ci-dessous en utilisant pour chacune d'elle un ou plusieurs des mots suivants:

dérivée(s), intégrale(s) indéfinie(s), primitive(s), ensemble.

a) La fonction f est .... de la fonction F.

b) La fonction F est ....de la fonction f.

c) La fonction G telle que $G(x) = F(x) + 3$ est .... de la fonction f.

d) On appelle .... de la fonction f l'ensemble de toutes .... de f.

e) Le symbole $\int f(x)\,dx$ représente .... de toutes .... de f.

RÉPONSES

a) la dérivée.
b) la primitive.
c) une primitive.
d) intégrale indéfinie, les primitives.
e) l'ensemble, les primitives.

91. Laquelle des fonctions définies ci-dessous est la primitive de la fonction f définie par

$f(x) = 8x^3 - 6x^2 + 4x + 1,$

qui passe par le point (1,3)?

a) $F(x) = 2x^4 - 2x^3 + 2x^2 + x + 3C$

b) $F(x) = 2x^4 - 2x^3 + 2x^2 + x + C$

c) $F(x) = 2x^4 - 2x^3 + 2x^2 + x + 3$

d) $F(x) = 2x^4 - 2x^3 + 2x^2 + x$

SOLUTION

Il faut rejeter les réponses a et b parce que ces deux formules représentent les familles des courbes. Des réponces c et d, seule la fonction en d satisfait à la condition $F(1) = 3$.

REMARQUE Une seule primitive passe par un point donné du plan cartésien.

RÉPONSE : d.

92. Calculer les intégrales indéfinies ci-dessous et indiquer la formule d'intégration appliquée à chaque étape de la solution.

a) $\int \left(3\sqrt{x^3} + \dfrac{1}{\sqrt[3]{x}}\right)^2 dx$

b) $\int \dfrac{10x + 15}{(x^2 + 3x + 2)^3}\, dx$

c) $\int \dfrac{x}{2x^2 - 1}\, dx$

d) $\int \dfrac{x^2}{1 + x^2}\, dx$

SOLUTION

a) $\int (3\sqrt{x^3} + \dfrac{1}{\sqrt[3]{x}})^2\ dx$

$= \int (9x^3 + 6\dfrac{\sqrt{x^3}}{\sqrt[3]{x}} + \dfrac{1}{\sqrt[3]{x^2}})\ dx$

$= \int 9x^3\, dx + \int 6\dfrac{\sqrt{x^3}}{\sqrt[3]{x}}\ dx + \int \dfrac{1}{\sqrt[3]{x^2}}\, dx$ formule 2

$= 9\int x^3\, dx + 6\int \dfrac{\sqrt{x^3}}{\sqrt[3]{x}}\ dx + \int \dfrac{1}{\sqrt[3]{x^2}}\, dx$ formule 1

$= 9\int x^3\, dx + 6\int x^{7/6}\ dx + \int x^{-2/3}\, dx$

$$= 9\,\frac{x^4}{4} + 6\,\frac{x^{13/6}}{13/6} + \frac{x^{1/3}}{1/3} + C \qquad \text{formule 3}$$

$$= \frac{9}{4}x^4 + \frac{36}{13}x^2\,\sqrt[6]{x} + 3\,\sqrt[3]{x} + C$$

REMARQUE On écrit une seule constante car la somme de trois constantes est une constante.

b) $\displaystyle\int \frac{10x + 15}{(x^2 + 3x + 2)^3}\,dx$

$$= 5\int \frac{2x + 3}{(x^3 + 3x + 2)^3}\,dx \qquad \text{formule 1}$$

$$= 5\int (x^2 + 3x + 2)^{-3}\,(2x + 3)\,dx \qquad (f(x) = x^2 + 3x + 2,\ f'(x) = 2x + 3)$$

$$= 5\;\frac{(x^2 + 3x + 2)^{-2}}{-2} + C \qquad \text{formule 4}$$

$$= \frac{-5}{2(x^2 + 3x + 2)^2} + C$$

c) $\displaystyle\int \frac{x}{2x^2 - 1}\,dx$

$$= \frac{1}{4}\int \frac{4x}{2x^2 - 1}\,dx \qquad (f(x) = 2x^2 - 1,\ f'(x) = 4x)$$

$$= \frac{1}{4}\ln\,|\,2x^2 - 1\,| + C \qquad \text{formule 6}$$

d) $\displaystyle\int \frac{x^2}{1 + x^2}\,dx$

$$= \int \frac{x^2 + 1 - 1}{1 + x^2}\,dx$$

$$= \int \frac{x^2 + 1}{1 + x^2}\,dx - \int \frac{1}{1 + x^2}\,dx \qquad \text{formule 2}$$

$$= \int dx - \int \frac{1}{1+x^2}\, dx$$

$$= x - \text{arc tan } x + C \qquad \text{formules 3 et 9}$$

RÉPONSES

a) $\frac{9}{4}x^4 + \frac{36}{13}x^2 \sqrt[6]{x} + 3\sqrt[3]{x} + C$

b) $\frac{-5}{2(x^2+3x+2)^2} + C$

c) $\frac{1}{4}\ln|2x^2-1| + C$

d) $x - \text{arc tan } x + C$

93. Déterminer les intégrales suivantes à l'aide d'un changement de variable.

a) $\int 4x^2\, e^{2x^3+1}\, dx$

b) $\int \frac{e^{3\sqrt{x}} + e^{2\sqrt{x}} + e^{\sqrt{x}}}{\sqrt{x}}\, dx$

c) $\int \frac{\ln x}{x\sqrt{\ln^2 x + 1}}\, dx$

d) $\int \frac{\cos\sqrt{x}}{1+\sin\sqrt{x}} \frac{dx}{\sqrt{x}}$

e) $\int \frac{1}{x\sqrt{1-\ln^2 x}}\, dx.$

SOLUTION

a) Pour trouver l'intégrale

$\int 4x^2\, e^{2x^3+1}\, dx$, posons

$u = 2x^3 + 1.$

On a $du = \mathbf{6}x^2 dx.$

Donc, $x^2 dx = \frac{1}{6} du$ et

$$\int 4\, x^2\, e^{2x^3+1}\, dx = 4 \int e^u \frac{1}{6}\, du = \frac{2}{3}\, e^u + C.$$

Revenons à la variable x. On obtient

$$\int 4\, x^2\, e^{2x^3+1}\, dx = \frac{2}{3}\; e^{2x^3+1} + C$$

b) Posons $u = e^{\sqrt{x}}$

On a $du = e^{\sqrt{x}} \dfrac{1}{2\sqrt{x}} dx.$

Donc, $\dfrac{e^{\sqrt{x}}}{\sqrt{x}} dx = 2\, du$ *et*

$$\int \frac{e^{3\sqrt{x}} + e^{2\sqrt{x}} + e^{\sqrt{x}}}{\sqrt{x}}\, dx = \int (e^{2\sqrt{x}} + e^{\sqrt{x}} + 1)\; \frac{e^{\sqrt{x}}}{\sqrt{x}}\, dx$$

$$= \int\; (u^2 + u + 1)\, 2du = 2 \int\; u^2 du + 2 \int\; u\, du + 2 \int\; du$$

$$= \frac{2}{3}\, u^3 + u^2 + 2\, u + C = \frac{2}{3}\, (e^{\sqrt{x}})^{\,3} + (e^{\sqrt{x}})^{\,2} + 2e^{\sqrt{x}} + C$$

$$= \frac{2}{3}\, e^{3\sqrt{x}} + e^{2\sqrt{x}} + 2e^{\sqrt{x}} \;+\; C$$

c) Posons $u = \ln^2 x + 1$

On a $du = 2 \ln x \times \dfrac{1}{x} dx$

Donc, $\dfrac{\ln x}{x}\, dx = \dfrac{1}{2}\, du$ et

$$\int \frac{\ln x}{x\sqrt{\ln^2 x + 1}}\, dx = \int \frac{1}{\sqrt{u}}\, \frac{1}{2}\;\; du = \sqrt{u} + C = \sqrt{\ln^2 x + 1} + C$$

d) Posons $u = \sin \sqrt{x}$

On a $du = \cos \sqrt{x}\, \dfrac{1}{2\sqrt{x}}\, dx$

Donc, $\dfrac{\cos\sqrt{x}}{\sqrt{x}}\, dx = 2\, du$ et

$$\int \frac{\cos\sqrt{x}}{1+\sin\sqrt{x}}\,\frac{dx}{\sqrt{x}} = \int \frac{1}{1+u^2}\,2\,du =$$

$$2\text{arc tan}\,u + C = 2\text{arc tan}\,(\sin\sqrt{x}\,) + C$$

e) Posons $u = \ln x$

On a $du = \frac{1}{x}\,dx$

Donc, $\displaystyle\int \frac{1}{x\,\sqrt{1-\ln^2 x}}\,dx = \int \frac{1}{\sqrt{1-u^2}}\,du$

$$= \text{arc sin}\,u + C = \text{arc sin}\,(\ln x) + C.$$

RÉPONSES

a) $u = 2x^3 + 1$

$$\int 4x^2\,e^{2x^3+1}\,dx = \frac{2}{3}\,e^{2x^3+1} + C$$

b) $u = e^{\sqrt{x}}$

$$\int \frac{e^{3\sqrt{x}} + e^{2\sqrt{x}} + e^{\sqrt{x}}}{\sqrt{x}}\,dx = \frac{2}{3}\,e^{3\sqrt{x}} + e^{2\sqrt{x}} + 2e^{\sqrt{x}} + C$$

c) $u = \ln^2 x + 1$

$$\int \frac{\ln x}{x\,\sqrt{\ln^2 x + 1}}\,dx = \sqrt{\ln^2 x + 1} + C$$

d) $u = \sin\sqrt{x}$

$$\int \frac{\cos\sqrt{x}}{1+\sin\sqrt{x}}\,\frac{dx}{\sqrt{x}} = 2\text{arc tan}\,(\sin\sqrt{x}) + \text{C}$$

e) $u = \ln x$

$$\int \frac{1}{x\,\sqrt{1-\ln^2 x}}\,dx = \text{arc sin}\,(\,\ln x) + \text{C}$$

94. Pendant une heure un piéton marche à la vitesse constante de 5 km/h. Puis il marche à la vitesse

$$v\,(t) = \frac{10\,t}{t^2+1}$$

où *t* est exprimé en heures.

a) Après une heure le mouvement du piéton est-il accéléré ou décéléré?

b) A quel moment le piéton marche-t-il à la vitesse de 3 km/h?

c) Déterminer la distance parcourue en fonction du temps.

d) En combien de temps le piéton parcourra-t-il 15 km?

SOLUTION

a) Si la vitesse augmente (diminue) le mouvement est accéléré (décéléré). Donc, étudions la croissance de la fonction v pour $t > 1$.

On a $v'(t) = \left(\dfrac{10\,t}{t^2+1}\right)' = \dfrac{10\,(1-t^2)}{(t^2+1)^2}$

et $v'(t) < 0$ pour $x > 1$

Donc, le mouvement est décéléré

b) Pour déterminer à quel moment le piéton marche à la vitesse de 3 km/h, il faut résoudre l'équation

$v(t) = 3$

alors $\dfrac{10\,t}{t^2+1} = 3$

qui est équivalente à $3t^2 - 10\,t + 3 = 0$.

Les deux zéros sont

$$t_1 = \frac{10+\sqrt{100-36}}{6} = 3 \text{ et } t_2 = \frac{10+\sqrt{100-36}}{6} = \frac{1}{3}.$$

On élimine $t_2 = 1/3 < 1$, puisque pendant la première heure le piéton marche à la vitesse constante de 5 km/h. Donc, $t = 3$ h

c) Soit $s(t)$ la distance parcourue en un temps t.

Or, $v(t) = s'(t)$

Donc, la fonction s est la solution de l'équation différentielle

1° $s'(t) = 5$, pour $0 \le t \le 1$, qui remplit la condition
$s(0) = 0$ (la distance parcourue au moment $t = 0$ est nulle)
et

2° $s'(t) = \frac{10\,t}{t^2+1}$, pour $t > 1$, qui remplit la condition

$s(1) = 5$

Pour $0 \le t \le 1$

$s(t) = \int 5\,dt = 5t + C$

et $s(0) = 5 \times 0 + C = 0$

D'où, $C = 0$

Pour $t > 1$

$$s(t) = \int \frac{10\,t}{t^2+1}\,dt = 5\int \frac{2\,t}{t^2+1}\,dt$$
$$= 5\ln|\,t^2+1\,| + C = 5\ln(t^2+1) + C$$

et $s(1) = 5\ln(1^2+1) + C = 5$

parce qu'au temps $t = 1$ le piéton a déjà parcouru 5 km.

Donc, $C = 5 - 5\ln 2$ et

$$s(t) = \begin{cases} 5t & \text{si } 0 \le t \le 1 \\ 5\ln(t^2+1) + 5 - 5\ln 2 & \text{si } t > 1 \end{cases}$$

d) Pour connaître le temps nécessaire pour parcourir 15 km, il faut résoudre l'équation

$s(t) = 15$

c'est-à-dire l'équation

$5\ln(t^2+1) + 5 - 5\ln 2 = 15.$

Les deux zéros sont $t_{1,2} = \pm\sqrt{2e^2 - 1}$

On rejette le zéro négatif, puisque le temps est toujours positif.

RÉPONSES

a) Mouvement décéléré.

b) $t = 3$ h.

c) $s(t) = \begin{cases} 5\,t & \text{si } 0 \le t \le 1 \\ 5\ln(t^2+1) + 5 - 5\ln 2 & \text{si } t > 1 \end{cases}$

d) $t = \sqrt{2e^2 - 1} \approx 3$ h 43 min.

3 INTÉGRALE DÉFINIE ET AIRE SOUS UNE COURBE

- **DÉFINITION DE L'INTÉGRALE DÉFINIE :** Soit f une fonction définie sur l'intervalle $[a, b]$ subdivisé en n sous-intervalles de largeur $\Delta x_1, \Delta x_2, \dots, \Delta x_n$ à condition que $\max \Delta x_i \to 0$ si $n \to +\infty$.
  Par définition, l'intégrale définie de la fonction f de a à b est

  $$\int_a^b f(x)\,dx = \lim_{n \to \infty} \sum_{i=1}^{n} f(x_i)\,\Delta x_i$$

  si cette limite existe.

  Les nombres a et b sont appellés les bornes (ou limites) d'intégration inférieure et supérieure.
- **THÉORÈME FONDAMENTAL :** Soit f une fonction continue sur $[a, b]$.
  1° f admet une primitive sur $[a, b]$
  2° Soit F une primitive de f. On a

  $$\int_a^b f(x)\,dx = F(b) - F(a).$$
- **THÉORÈME SUR L'AIRE COMPRISE ENTRE DEUX COURBES :** Soit f et g deux fonctions continues sur $[a, b]$, et telles que $f(x) \geq g(x)$ pour $x \in [a, b]$.
  L'aire de la région comprise entre les courbes de f et de g et les deux droites $x = a$ et $x = b$ est

  $$A = \int_a^b [f(x) - g(x)]\,dx$$ (figure 80).

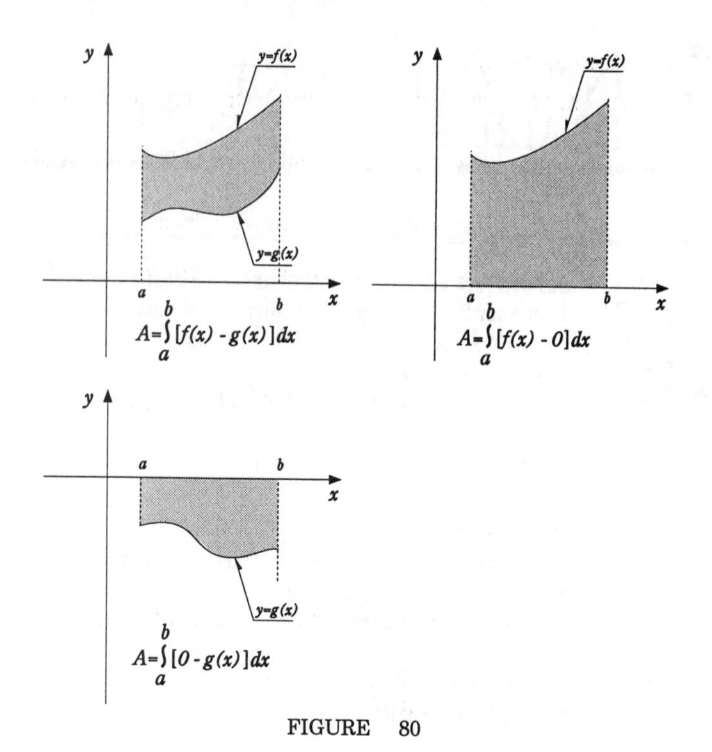

FIGURE 80

Exercices

95. Trouver l'erreur dans le calcul de l'aire de la région limitée par le graphique de la fonction *f* définie par

$$f(x) = \frac{1}{x^2}$$

et les droites $x = -1$ et $x = 1$.

$$A = \int_{-1}^{1} f(x)\,dx = \int_{-1}^{1} \frac{1}{x^2}\,dx = -\frac{1}{x}\Big|_{-1}^{1} = -(1-(-1)) = -2$$

SOLUTION ET RÉPONSE

On ne peut pas appliquer le théorème fondamental pour calculer l'intégrale $\int_{-1}^{1} \frac{1}{x^2}\, dx$ parce que cette fonction n'est pas continue sur l'intervalle [-1, 1] (discontinuité par fuite à l'infini au point $x = 0$).

96. Trouver l'aire de la région hachurée représentée à la figure 81.

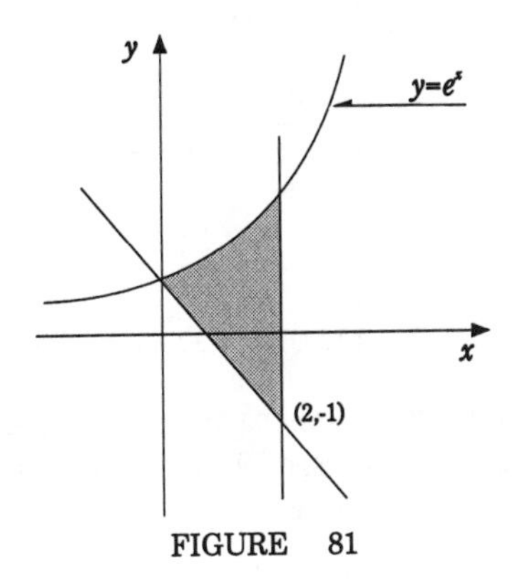

FIGURE 81

SOLUTION

Les équations des courbes qui limitent la région hachurée sont

$y = f(x) = e^x$ et $y = g(x) = -x + 1$ (la droite qui passe par les points (0,1) et (2,-1)).

Les bornes d'intégration sont $a = 0$ et $b = 2$. Donc,

$$A = [e^x - (-x + 1)]\, dx = \int_0^2 e^x\, dx + \int_0^2 x\, dx - \int_0^2 dx =$$

$$e^x \Big|_0^2 + \frac{1}{2}x^2 \Big|_0^2 - x \Big|_0^2 = e^2 - 1.$$

RÉPONSE

$A = e^2 - 1$

97. Calculer l'aire de la région fermée limitée par la courbe $y = x^3$, et les droites $y = x$ et $x = 3$.

SOLUTION

On cherche l'aire de la région hachurée représentée à la figure 82.

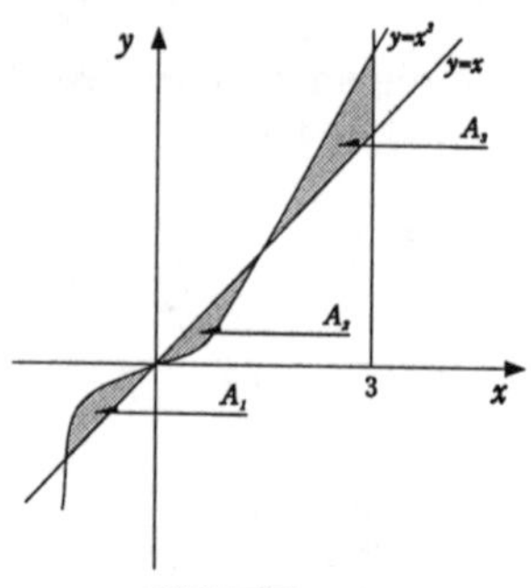

FIGURE 82

Partageons cette aire en trois parties, à savoir A_1, A_2 et A_3. Les abscisses des points d'intersection de la courbe $y = x^3$ avec la droite $y = x$ sont $x = -1$, $x = 0$ et $x = 1$.

Donc,

$$A_1 = \int_{-1}^{0} (x^3 - x)\, dx = \frac{1}{4} x^4 \Big|_{-1}^{0} - \frac{1}{2} x^2 \Big|_{-1}^{0} = \frac{1}{4}$$

(parce que $x^3 \geq x$ pour $x \in [-1, 0]$)

$$A_2 = \int_{0}^{1} (x - x^{3)}\, dx = \frac{1}{2} x^2 \Big|_{0}^{1} - \frac{1}{4} x^4 \Big|_{0}^{1} = \frac{1}{4}$$

(parce que $x^3 \leq x$ pour $x \in [0, -1]$)

$$A_3 = \int_{1}^{3} (x^3 - x)\, dx = \frac{1}{4} x^4 \Big|_{1}^{3} - \frac{1}{2} x^2 \Big|_{1}^{3} = 16$$

(parce que $x^3 \geq x$ pour $x \in [1, 3]$).

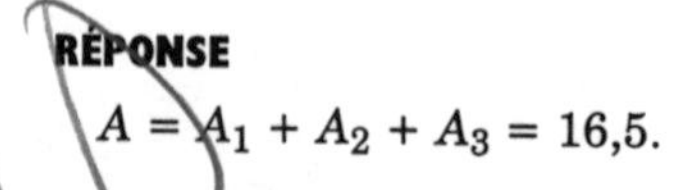

RÉPONSE

$A = A_1 + A_2 + A_3 = 16{,}5.$